Rosenmann – Taub, David 1927 -
Quince [texto impreso] / David Rosenmann - Taub.—
1ª ed. – Santiago: LOM Ediciones, 2008.
256 p.: 16 x 21 cm.- (Colección Texto Sobre Texto)

R.P.I.: 170.225
ISBN : 978-956-282-974-8

1. Poesías Chilenas. I. Título. II. Serie.

Dewey : Ch861 .— cdd 21
Cutter : R814q

Fuente: Agencia Catalográfica Chilena

Diseño de cubierta: Lisa Wagner

Diseño, Composición y Diagramación:
Editorial LOM. Concha y Toro 23, Santiago
Fono: (56-2) 688 5273 Fax: (56-2) 696 6388
web: www.lom.cl
e-mail: lom@lom.cl

Impreso en los talleres de LOM
Miguel de Atero 2888, Quinta Normal
Fono: 716 9684 / 716 9695

Impreso en Santiago de Chile

QUINCE

DAVID ROSENMANN-TAUB

QUINCE

Autocomentarios

LIMEN

La selección de los poemas – "El desahucio", "Rapsodia", "*En el náufrago día de mi nave más bella...*", "Desiertos", "Aguacibera", "*Cuando, de vez en noche, soy real...*", "Nicho": de *Auge*; "Schabat": de *Cortejo y Epinicio*: I; "La frontera", "Noailles", "Parusía", "Medallón", "Ontogenia", "De nada" y "Autoalabanza": de libros inéditos – y su secuencia no son «arbitrarias»: los textos, independientes y, a la vez, peldaños de *una* escalera.

En ocasiones, precisando conceptos, destaco los étimos. Con referencia a los vocablos de cada poema, en su respectivo comentario, recurro a itálicas, y, progresivamente, para los de un poema o de un comentario aludidos en el comentario de otro poema, a entrecomillas.

*
* *

La pronunciación de los títulos de mis poemas no es oral, sino interna: su ritmo y su sonoridad están profundamente relacionados con las estrofas.

*
* *

Las notas, en su mayor parte, son interrelacionadoras: indispensables en una segunda lectura.

*
*   *

Siglas:

V.	ver
v.	verso
vv.	versos
n.	nota
pf.	párrafo
pfs.	párrafos
s	supra
i	infra
Náufrago	el poema *"En el náufrago día de mi nave más bella..."*
Cuando	el poema *"Cuando, de vez en noche, soy real..."*

*
*   *

Este libro, sin la colaboración de Virginia Sarmiento, no habría sucedido.

PREFACIO

Doña Posteridad,

mis avideces, títeres.

Yo, en mi sótano, atrás;

no tú, don Quince.

PRE FA CIO

Do ña Pos te ri dad,

mis a vi de ces, tí te res.

Yo, en mi só ta no, a trás;

no tú, don Quin ce.

I

EL DESAHUCIO

Del edificio de departamentos

– ocupo uno mediano,

en el segundo piso,

desde tanto ajetreo

que no recuerdo

cuánto –

el propietario,

firme, tempranísimo.

Yo no lo conocía.

Nos dio a cada inquilino

diferentes motivos

para que nos mudáramos.

Salí a comprar el diario

– «Tu Pasquín» –.

Buscando los arriendos,

eché de ver

la fecha: el mes y el día

vibraban bien;

aberración, el año…

Entonces comprendí.

EL DE SAHU CIO

De l e di fi cio de de par ta men tos

-o cu po u no me dia no,

e n el se gun do pi so,

des de tan to a je tre o

que no re cuer do

cuán to -

el pro pie ta rio,

fir me, tem pra ní si mo.

Yo no lo co no cí a.

Nos dio a ca da in qui li no

di fe ren tes mo ti vos

pa ra que nos mu dá ra mos.

Sa lí a com pra r el dia rio

– «Tu Pas quín» –.

Bus can do lo s a rrien dos,

e ché de ver

la fe cha: el mes y el dí a

vi bra ban bien;

a be rra ción, e la ño...

En ton ces com pren dí.

No escogí ser, ni ser«me» – ser *yo* –. *Ocupo* – soy – *un*a cómoda   1
celda incómoda. «Me» acaban de avisar de que debo *mudar*«me»
sin «mí». *No* poseo «mi» *departamento* – «mi» persona –: lo
arriendo: «atado» por la *rienda* – y *renta* – *para* obedecerla. Pago
lo prestado con lo prestado: con «mi» vida. *No* escogí ingresar a*l*
espacio *temp*oral: *el* poema lo expresa en presentepretérito
invulnerable[1] . *No* escogí incorporar«me» – corporar«me» – *a* «la»
materia – *en*ergía – *en el* espacio *temp*oral – *en*ergía –: *no* escogí
manifestar«me» *en*ergéticamente.

«Ese» *día*, lo irrevocable: *el desahucio*: *des-ahucio*: *des*-esperanza: 2
el cese, «aquí», de la esperanza. «Devolver» la sangre, la carne, los
huesos, los estorbos, las uñas, los apegos, los terrores, la capacidad
de vivir y morir, la capacidad de pensar y pensar«me», ¡la capacidad
de saber«me» préstamo! ¿Y *el* suicidio?[2] : *des*trozar, con voluntad
prestada[3] , «algo» *que no* «me» per«tenece». «Mi» muerte, «mía»
como «mi» génesis. ¡*No* «me» per«tenezco»! *El* «dueño» – *el*
propietario – «me» exige la «devolución» *del* prestado *yo*.

Del edificio ... / ... / ... / ... / ... / el propietario: hipérbaton *de*   3
categórica per«tenencia».

... el edificio de departamentos: *el* apeadero: *el* cosmos.   4
Ocupo, en el edificio, un departamento: «mi» cuerpo y «mi»   5

saber«me» *en* «mi» cuerpo – ni lo más pequeño, ni lo más grande – *en medio del* multiverso: *mediano – desde* «mi» perspectiva, *ocupo un* céntrico punto que enlaza lo espacial y lo inespacial –.

6   Resido *en el segundo piso*: conciente. *No en el* primer *piso*: maquinal. *El* multiverso, inconciente de «su» ser, menos que *yo*. A nivel de conciencia, «me» hallo *en el segundo piso*.

7   Materia y conciencia: emancipaciones *de energía*. ¿«Este» prestado *yo* evoluciona – «devoluciona» – más «allá» de «la» materia? Qué iluso error.

8   *¿Cuánto tiempo – cuánto ajetreo –* ha trascurrido *desde* que vine *a ocupar el departamento*? *¿Desde cuán*do *ocupo* «mi» cuerpo? *– ¿desde cuán*do la humanidad *ocupa* «su» cuerpo? –.

9   *No* «me» es «claro» *cuánto tiempo* he *ocupado* «este» *departamento*; sí «me» es «clara» la *tempranísima* venida *del propietario. ¿Mudar*«se»?: *temprano* – ning*una* vida concluye: «se» interrumpe –. *Inquilino –* (íncola) cultivador: *ocupante – y propietario* «tienen» en común *el* acto de venir. *No recuerdo cuánto tiempo* hace *desde* que vine, pero *recuerdo* con precisión *cuán*do vino *el propietario: yo, para* quedar«me», *tan tempranísimo que no* logro *recordar cuán*do; *el propietario, para desahuciar*«me» *– desahuciar*«se»: auto*desahucio –, tempranísimo (no tan temprano*

como *yo*). La asonancia – *í o* – señala analogía (por *diferentes motivos)* entre *el propietario, el inquilino, el par*ticular espacio – *el segundo piso* – dentro *del edificio,* y *el par*ticular *tiempo – tempranísimo* – dentro *de* «ese» *día.*

---

                      tempranísimo:

t: la cruz.

  temp: *tiemp*o.

    *pr: pr*opietario.

      a: *a*pertura.

         nísimo: vivir: *ni sí, ni* no: de una ambigua

                        afirmación a una casi negación: *ni*

                        (con tonicidad violenta: *ní)* sí (áto-

                        no *si*) [*ni*] n*o (*con disimulo, *mo).*

teMpranísiMo: del inicial instintivo (¿voluntario?)

                       sustentar«se» – *MaM*ar –, al clau-

                       surador «des»enlace: n*o* más

                       hablar: cerrar, definitivamente

                           – *M* –, la boca[4].

10   Sólo *cuando* «*me*» *desahucia* conozco a*l propietario* – presumo *conocerlo* –.

11   *El propietario* (le *dio*) *nos dio a cada inquilino* (*a cada «uno» de nos*otros, «*sus*» *inquilinos*: *inquilino a inquilino*)...: *cada inquilino* registra *un motivo* (o varios *motivos*) *del desahucio*. (La *diferenciación* – la individualidad – de *cada* morir – de *cada mudar*«se» –.) El subjuntivo pretérito imperfecto *mudáramos* (en vez del per«tinente» subjuntivo futuro imperfecto *mudáremos*) mitiga *el* carácter inapelable *de* los *diferentes motivos*: «deberíamos» (en vez del per«tinente» «deberemos») *mudarnos*.

12   Sin percatar«me» *de* qué entraña haber sido *desahuciado, salgo del edificio, para* adquirir *el* periódico: ya que «debería» *mudar*«me», consultaré la sección de *los arriendos*.

13   «*Tu Pasquín*»: causticidad *del Tu*: ¿«mi» periódico? *El diario* matinal: *tu* – «mi» – difamatorio periférico e íntimo *diario* redactado *para*[5] «ti», *para tus* necesidades: *para* «ti» que nada posees – *tus* necesidades *no* son *tuyas* –.

14   *El* periódico relata los arbitrarios, ridículos, contradictorios sucesos «relevantes» – difamaciones – *para* la colectividad – ¿la humanidad? – *del* «ahora». ¿La verdad? Qué calumnia, qué insignificante error. «Su» *propia* difamación: por «eso», *Pasquín*.

Y la «relevancia» – insignificancia – *del* lenguaje escrito: *en*ser *de* comunicación e incomunicación.

Sin «mí», *el* acreedor *propietario no* es todo *el propietario.* [15] *Yo,* deudor (y autodeudor), le per«tenezco»: «mi» *diario* – «mi» *Pasquín* – es *de* y *para*[6] *el propietario: propiet-ario, di-ario.* Soy *part*e *del propietario*; por ende, *el propietario, part*e «mía»: *el propietario* «se» presta *a* «sí». *Yo, part*e *del propietario,* «me» presto y «me» pago. *De* la existencia multiversal, *el propietario*; y *yo, part*e *del propietario.*

La percepción, *temp*oralmente, es *recuerdo. El* trascurso – *desde* [16] la notificación *del desahucio,* la *salida,* la *compra del* periódico y *el* reparo en *la fecha (el mes y el día vibraban* «bien», pero...)[7] hasta *el comprender –,* incalculable: de lo *temp*oral y espacial a lo in*temp*oral e inespacial: arbitraria, ridícula, contradictoria *temp*oral eternidad in*temp*oral: *un aberrante* embuste. ¿*El tiempo? Un* instante que *no* dura. ¿*El* espacio? *Un* punto que está, sin estar, *en* ning*ún* sitio[8]. Y plegar «esas» distancias: *comprender.*

Al *salir* – intersección de ser y *noser –, comprendí*: [17] *entonces* (afirmativo: cierra el abanico eventual, «aclarando» las consecuencias) estuve *en* coyuntura de *comprender: salí a compr-ender.* Ser – ser«me» – y *no*ser – *no*ser«me» –, manifestaciones de presente in*temp*oral – *ocupo, recuerdo*: presente que «se» vuelve («devuelve») pretérito; *dio, salí, eché, comprendí*: pretérito que «se» vuelve («devuelve»[9]) presente –, aspectos *de* «algo» más. ¿Metamorfosis? Modificación, *no* anulación[10]: la *e*nergía conciente y la *e*nergía inconciente, deleznables aspectos majestuosos *de uno de* los hilos *de* «la» tela.

18   ¿Materia – *no*saber«se» – y conciencia – saber«se» – *en el* espacio *temp*oral (*e*nergía *en* «la» *e*nergía: *e*nergía *del* ser) o *en el* espacio (*no*espacio) in*temp*oral (*no*energía *en* «la» *no*energía: *e*nergía *del no*ser), exterior e interior exterioridad, e interior y exterior interioridad, siendo y *no*siendo, aspectos[11] *de* «qué»? *El departamento* abandona – *sale* de – *el departamento*. La individualidad abandona la individualidad: *el* aparente *yo* inquilino y «mi» aparente *departamento*, los presuntos otros *yos* inquilinos y «sus» *departamentos, el* aparente *edificio* y *el* presunto *propietario, el* presunto ingreso y la aparente *salida*: lo mismo. Aparecer y *des*aparecer[12] : lo mismo. Ser y nada: «dos»[13] , entre muchos, aspectos *del* irrisorio – estúpidamente inteligente e inteligentemente estúpido – lo mismo.

19   La estructura rítmica, la distribución de las rimas y *el*

severo ensamblaje *comprenden* la atmósfera de cercanía a *una*
ruptura de lo *temp*oral, sos«teniendo», pilares subverbales, *el*
edificio poético.

Rimas internas y externas:

entos, con que termina *departamentos* – asonancia con
ajetreo, recuerdo, arriendos –, resuena, en variaciones – *anto*:
tanto a, cuánto (ominados por *mediano* y asonantando con
propietario, mudáramos, diario, año); *entes: diferentes* –, hasta
*des*embocar en *endos: arriendos.*

De *piso* a *tempranísimo* a *inquilino* a *motivos.*

De *yo* a *aberración* a *enton(ces).*

De *diferen(tes)* a *eché de ver* a *(f)echa: el mes* a *bien.*

Realce de *día:* ominado por la consonancia de *conocía* y,
solapadamente, en *mediano, dio a, cada in, mudáramos* y
diario. Su primera sílaba, a hurtadillas – átona –, en *edificio* y
diferentes; paladina, en *comprendí.*

Realce de *comprendí: segundo (undo)* y *buscando (ando)*
preparan *arriendos (endos); ento(s)* culmina en *ento(nces);*
end(os) culmina en *(compr)end(í); anto (cuánto) des*emboca en
ando (buscando), y *entos (departamentos) des*emboca en *endos*
(arriendos).

31

Concentraciones: *departamentonces* y *arricomprendí*.

Repercusión de *pro-pietario* en *tem-pra-nísimo*, *com-pra-r* y *com-pre-ndí*.

En-tOncEs «vibra», furtivo, en *aberraciÓn, El*, resonando en *cOmprEn-dí; comprendÍ «vibra»*, furtivo, en *PasquÍn*.

21   Ensamblaje:

ocupo uno: *ocúpò uno*: *ocúpòuno* – sobre la sílaba *po*, el semiacento de *uno* –: *ocúpòunomediáno*.

tanto ajetreo: *tánto ajetréo*: *tántoajetréo*.

Nos dio a cada inquilino: *nos dio á cada inquilino*: *nosdioácádainquilíno*.

salí a: *sali á*: *saliá* (*l«ia»* refrendado en *d«ia»*): *sal«iá»comprárel«diá»rio*.

fecha: el: *fécha: el*: *féchaelmés*.

*

*   *

22   «Esta» *salida*, ¡la primera! – ¿la primera? –: «antes» *no* había «advertido»[14] que «la» calle, «la» ciudad, *el* planeta eran secciones *de* «mi» *departamento* – *de* «mi» cuerpo, *de* «mi» ambiente, *de*

«mi» condición *de* fugaz limitado e ilimitado testigo *de* «mí» y *del* espacial multiverso *temp*oral –: el «tris» – estribo – *en* que he colocado *uno de* «mis» pies *en el* inespacial multiverso in*temp*oral: ser *para*[15] dejar de existir: de testigo – conciencia – *del* ser *del* ser, a testigo – conciencia – *del* ser *del no*ser. ¿A*l* colocar *el* otro pie *en el no*ser, dejaré de concienciar *el* ser, de igual manera que, a*l* estar *en el* ser, *no* conciencié *el no*ser? *El* poema «se» interrumpe, como la vida humana[16], *en el* acto – *piso – de comprensión*[17], *un* pie *en el* ser *del* ser, *el* otro *en el* ser *del no*ser, «antes» de *pisar*, con ambos, *el* ser *del no*ser. Venir a*l* (y *para el*) mundo: *temp*oralmente, *en un*a «frontera». *Salir del* mundo: de «su frontera» a «la frontera» ulterior[18]. He *comprendido uno de* los *motivos del desahucio – del* ser *para el no*ser –.

Saber«me» *ocupando un departamento* elide saber«me» *ocupando* «otro». *Pisar*, con ambos pies, *el* suelo *de uno*, «me» estorba *pisar el* suelo *de* «otro». «Ahora» – *entonces* – coloco *uno de* «mis» pies, y estoy por colocar *el* otro, en «otro» suelo. *El* último verso: la revelación «antes» de que ambos *desahuciados* pies *ocupen* «otro» suelo. *Cuan*do «mis» materiales – *en*ergéticos – pies abandonen *el* suelo material – *en*ergético –, estaré *pisando* con «mis» inmateriales – *noen*ergéticos – pies *el* – ¿*un*? – suelo inmaterial – *noen*ergético –.

23

33

24   ... / *comprendí*: la capacidad[19] de crear – expresar: escribir:

decir – «este» poema, que con«tiene» lo mismo[20].

II

RAPSODIA

Elbirita ostentaba la costumbre

de sentarse de modo

que algunos (mequetrefes)

compañeros guindáramos

divisar

su secreto.

«¡Elvira!»

Ella no se movió.

«¡Elvira, por Dios santo!»

«Elbirita, con be

larga.»

«Párese al objetarme.»

«Llámeme *usté*

correctamente.»

¿Garrotes?

Unas lágrimas.

Todos (menos, muy pálida, Elbirita),

peñascal

de culpables.

El señor profesor no enristra dónde

catear. Se saca los anteojos. Toma

la tiza. «Un voluntario

que borre el pizarrón.»

¡Ayúdenme

a acordarme!

Cienbillones de siglos

o ayer: no queda nadie:

ni el señor profesor,

ni un compañero,

ni, por supuesto, yo;

ni Elbirita, quien, quizá me equivoco,

murió de pulmonía.

No, de parto.

Sí, sí, de parto, sí.

Tuvimos una niña; luego, un niño,

y,

por cimera gloria,

aquel tenue embarazo de mellizos,

que, de un zarpazo, a ella le borró

su secreto,

y a mí, el campo de dicha.

«¡Un voluntario, pronto, al pizarrón!»

RAP SO DIA

El bi ri ta os ten ta ba la cos tum bre

de sen tar se de mo do

que al gu nos (me que tre fes)

com pa ñe ros guin dá ra mos

di vi sar

su se cre to.

«¡El vi ra!»

E lla no se mo vió.

«¡El vi ra, por Dios san to!»

«El bi ri ta, con be

lar ga.»

«Pá re se a l ob je tar me.»

«Llá me me *us* té

co rrec ta men te.»

¿Ga rro tes?

U nas lá gri mas.

To dos (me nos, muy pá li da, El bi ri ta),

pe ñas cal

de cul pa bles.

El se ñor pro fe sor no en ris tra dón de

ca tear. Se sa ca lo s an teo jos. To ma

la ti za. «Un vo lun ta rio

que bo rre el pi za rrón.»

¡A yú den me

a a cor dar me!

Cien bi llo nes de si glos

o a yer: no que da na die:

ni el se ñor pro fe sor,

ni un com pa ñe ro,

ni, por su pues to, yo;

ni El bi ri ta, quien, qui zá me e qui vo co,

mu rió de pul mo ní a.

No, de par to.

Sí, sí, de par to, sí.

Tu vi mo su na ni ña; lue go, un ni ño,

y,

por ci me ra glo ria,

a quel te nue em ba ra zo de me lli zos,

que, de un zar pa zo, a e lla le bo rró

su se cre to,

y a mí, el cam po de di cha.

«¡Un vo lun ta rio, pron to, al pi za rrón!»

En la escuela, *Elbirita os-tentaba* (*os* malicioso *que* acucia a 1
la «*con*currencia» lectora *a part*icipar del *rapsódico* espectáculo)
la vana*gloriosa costumbre de sentarse de «un» modo que* nos
*con*cediera – nos *guindara* – *a algunos* de nosotros, flojos mu-
chachos traviesos – los *mequetrefes* de la clase –, *ver* (*di-visar*)
lo que *su* falda ocultaba: *mEquEtrÉfEs* exalta la obsesiva
a«*tracción*»[1] : *su secreto* nos impedía a«tender» a*l profesor*:

> os-tentar para a«traer»

La *con*ducta de *Elbirita* saturó a*l* escandalizado *señor profesor*: 2
el *secreto* de eternidad *y* la oposición *a* re*con*ocerlo, en mutuo desa-
fío. Aunque *él* bien sabía que el nombre de la alumna era diminutivo *y*
con be explosiva, estimando in*con*veniente *su con*notación de familia-
ridad, la riñó *con* el *pro*tocolario cortante fricativo *Elvira – Gelvira*:
remoto hierro de amistad –.

El diminutivo *ostenta* el deseo de «permanencia»[2] : ser eterno 3
cachorro. En el vocablo *Elvira,* vocales *y con*sonantes *que* pue-
den «*pro*longar*se*»; en *Elbirita, be y t*e explosivas: *"No* puedo
«*pro*longar*me*»: la vida *con*cluye brusca*mente*[3] – *bi...ta* (vita) –.
La *be larga* robustece – *bita*: poste de «atadura»[4] para anclaje[5] – a

la que ambiciono ser (*no* a *algo* impuesto): a «mi» *parirme.*" El nombre: el soma oralgráfico: eco ópticosonoro, como el poema – «permanencia» en la escritura –: elocución tesone*ramente borrada* en *el pizarrón* del espacio.

4   *Elbirita no se movió. El profesor*: «¡*Elvira, por Dios santo!*» *Ella*: «*Mi nombre, bien lo sabe, es Elbirita, «con» be larga.*» *Ella*, al defender *su secreto*, patrimonio del *secreto* de la naturaleza, *ayuda* a *un* enemigo: *se* ataca; el profesor, *al* atacarla, está defendiéndola. Belicosidad en que el enemigo es *el* defen*sor*: al defender*se correctamente* del ataque in*correcto, ella se* defiende in*correctamente* del ataque *correcto.*«¡*Elvira, por Dios santo!*» pro*fe*tiza: "¡*Elvira, no tenga* más *niños: por Dios santo, no* vuelva *a embarazarse!*" *El profe*ta, para *con*vencerla, nombra a lo más poderoso: "*¿No tiene* caridad *por usté?* – *usté* (no *usted*): incorrección: incomunicación: de ahí, guerra: me agredes, te agredo –. *Tenga*, siquiera, caridad[6] *por* el buen *Dios: no* aflija al buen *Dios*: en nombre de *Él, no* aflija a los que la aman: será imposible *borrar, quizá*, la hecatombe." La reacción de *Elbirita* en«cierra»: "Sin saberlo, injusta *con usted*: como *usté*[7], sin saberlo, justo *con*migo." «... *por Dios santo!*»[8]: la *sant*idad luminosa de *Dios* de-muestra la perversidad oscura de *Dios*[9] – *un* diabólico *Dios* impenitente –:

"Tenga caridad del destello de *Dios*: *no* fomente la oscuridad divina: basta, *Elvira, por Dios santo*: esquive al *Dios* diabólico: *Dios*, como *yo*, cuando es perverso, *no* sabe que lo sabe: defiénda*se* del *Dios* diabólico: *no* tolere que *Dios* sea *culpable."*

«¡Elvira, por Dios santo!» punza a *Dios*: *"No* seas, *Dios,* so- 5 laz del *no*saberquesabes." «¡*Elvira...»*: *El*oi, lamá sabactaní (Mateo: XXVII, 46): *Dios* mío, *no «te»* desam*pares*: *"Acuérdese, Elvira,* de que la energía *que le dio* la vida, *pr*opende *a birlár-se*la. Si *usté*, dis«traída», *no se acuerda* de la *totalidad – no* basta *con* que *uste*d *se acuerde* de *su* ambición de ser *toda –*, peligra: *no se* exceda, in- *tentando* ser *toda*: *no* descuide el ardid de *sacar*la tan simple*mente* como *yo me sacaré los anteojos.* La realidad la «trajo aquí» para que *se vea –* la realidad *se* fisga mediante *uste*d *–*, pero pre«tende» *sacar*la: remozará, sustituyéndola, «su» avidez de saber*se. Yo* necesito *acordarme* de valores duraderos; *uste*d, *Elbirita,* necesita *acordarse* de valores efímeros: *uste*d necesita ser *usté."*

El jerarca demanda docilidad: *«Párese al objetarme.»* Pá- 6 rese (pónga*se* «de pie»: «despiérte*se*»[10]): názca*se –* renázca*se –*: homonimia *profé*tica: *párese* (fréne*se*): *"¡A«tención»,* que la precavo! *" Elbirita,* herida, *con* duelista mofa: *«Llámeme usté /*

correctamente.»

7   ¿La escuela: instrucción? Fetén: para saber *algo y* aplicar *aquel* saber. *¿Por* qué *el profesor no* emplea *correctamente* el nombre de la alumna? *"Mi nombre es una* astilla de lo que *usté, señor profesor,* sabe. *Usté se* faculta para ignorar *algo que* sabe. *¿Por* qué aplicar lo que *usté,* imponiéndo*me* distinto nombre, *me* ordena asimilar?*" Él* la *llama* in*correctamente*; sin*embargo*, la desa*pro*baría si *ella* formulara *un* ejercicio in*correctamente*.

8   *Elbirita*: la oralgráfica efigie lírica de la muchacha: fonemas *y* letras la *co*nstituyen: la *pro*testa – *objeción* – de *Elbirita* alude a *su* imagen *y* a *su co*nducta. *El profesor*, engarzándolas – indecorosas, según *él* –, *co*nsidera in*co*nveniente el *correcto* nombre.

9   La vagina: el portal del *secreto* de la re*pro*ducción – del *secreto* deseo de «*pro*longar*se*» –. Cierta «sociedad» *objeta* exhibir los genitales. ¿Recato? ¿Cinismo? *¿Pro*caz – in*correcto* – que *una* mujer, *con* las piernas «abiertas»[11], exhiba el bajovientre? La *niñe*ra: *"¡No* puedes *sentar*«te», preciosa, *de* ese *modo!"* ¿La raíz de la censura? Cierta «sociedad» diagnostica: "Dañino." Cuando *un menor* magulla a otro *menor*, *o se* encapricha *por* palpar *un* ascua, *el* adulto *le* explica *a*l agresor *o* autoagresor que eso *no* está bien. En lo referente a los genitales, ¿la «motiv»ación[12] ?: el «sinsentido»[13] de *no* admitir que *no*

50

somos perdurables: el disimulo, *con un* presente fugitivo, del deseo de «permanencia»: la utopía de dar «permanencia» *a* lo que *no* la *tiene.* ¡Sustituidos*!* *Con* optimismo teórico ataviamos el pesimismo práctico. *No* osamos encarar la eternidad sin nosotros. ¿Vivimos para «vivir» *o* sólo vivimos? ¡Aparecemos para desaparecer*!*[14] He ahí el portal de *una* eternidad *que no* nos incluye. La eternidad seguirá. *Yo* desapareceré: *teniendo* principio, *tengo* final[15]. ¿Adhesión *con* lo que *me* sustituye? ¿Amoldar*me a* esa eternidad? Cubro mi rechazo: *me* escandalizo. *Alguien me pro*grama: "*¡A* la pocilga*!*" ¿Sin mi autorización, incluido *y* excluido? ¡Discretos albañales*!* ¡Eludir al augur del telón*!* ¡Engatusarlo*!* ¡Coser los belfos de la vileza *que me borra!* ¿Re*cordar*, durante el banquete, que «devolveré» mi cuerpo, mi alma *y...* mi nada[16]? ¿Afectuosos diminutivos, en el diálogo, bajo esa amonestación? ¡No*!* ¡Preceptos tangenciales*!* ¿*Elbirita*? ¡De nin*gún modo!*: ¡Elvira*!* Pero el deseo de eternidad *me con*mina: "*Pronúncia*me – escríbe*me* – in*correctamente. No mueras, no* desaparezcas[17]*." Emb*ozado acicate suicida[18]: suprimir, *por* la *muerte*, el deseo de eternidad: erradicar de mi *con*ciencia el existir – que implica dejar de existir –[19]. *Quizá yo*

pueda huir, *no* el deseo de «*pro*longar*me*»: escoltan la sílaba *El –*
Dios – (que inicia los vocablos *Elvira y Elbirita*) *vira* – saeta del
transitorio soma (el *yo*) sin los genitales – *y birita* – el soma *con* genitales
que preludian el transitorio *yo* (el otro) *que me* suple –. Estibo el pu-
dor de mi exclusión: mi vergüenza *ante* el hecho de que desapareceré[20] . *Elvira* es *part*e de *Elbirita*.

10   Repudiando ser nombrada in*correctamente*, *Elbirita* repudia
ser juzgada in*correctamente*: *no* a*part*ándo*se* de *ella*, *se* a*part*a de
la *con*vención. *Su secreto* es expresión ingénita – la realidad *que se*
obstina en ser *vista* –. *El profesor* – *el* escruta*dor*: la *con*ciencia
humana – *profesa* penetrar la realidad: *con* «su» *equivocación* la
altera.

11   *Elbirita* sufre la injusticia (*y* justicia) de la actitud d*el profesor*
y se defiende (*se* ataca). *Su* espíritu *y su* organismo sufren la agresión
– ¿*garrotes?* (interrogativo: indicador del esfuerzo para re*cordar con*
exactitud) «abre» el abanico factual, «anticipando» las *con*secuencias:
unas lágrimas: de «*garr*»*otes* a *borrador zarpazo*[21] –. *Su* «*vita*»lidad
flaquea: *palidece. El profesor*, ignaro *profe*ta, *ostenta*, en «su» ignorancia, «su» *con*ocimiento. Permutados roles: *el profesor* traga *una*
lección. *El profesor y* el resto de los alumnos saben, sin saberlo,
que están *equivocados*; *y no* saben, sabiéndolo, que *no* lo están.

Hirieron – herimos – la realidad[22] : nos sentimos – nos *sentamos* – *muy – peñascal de – culpables*.

El cosmos, *culpable* sin serlo, sabe *y no* sabe: ése «su» *modo de* ser, del que somos brincos. Nosotros, inocentes sin serlo, nos sentimos, in*correctamente, culpables o* inocentes.

Ella: el abogado de lo real. Nosotros: los abogados de lo ficticio. *Todos*: víctimas. *Con una* disparidad: *Elbirita no se* siente – *no se sienta – culpable*, nosotros *sí. Ella*, más real[23] que nosotros: *por* eso, más víctima: como el Salvador, *ella* es la *divisa* de la verdad *con*firmada en la triple aseveración – *"Sí, sí, de parto, sí"* – hostil a las numerosas negaciones *ante*riores (versos 8, 20, 27-31, 33).

Violencia del encabalgamiento: zarandeo axil:

El señor profesor no enristra dónde

catear. Se saca los anteojos. Toma

la tiza. «Un voluntario

que borre el pizarrón.»

Para *no ver (no divisar)* «su» *equivocación, el profesor se saca los* prejuiciosos jerárquicos *anteojos*: para *no con*tinuar deformando «su» *visión*, decide *no ver, o menguar* «su» *visión: se los saca* para *divisarse*.

Bisel inmediato: *el profesor* ha instruido; tras el obstáculo, *no*

12

13

14

15

16

enristra dónde catear. Bisel medular: *se saca los anteojos*: gesto *que* representa «gesto» interno: *"No veo* bien *con los anteojos – con* la *con*vencional «cerrazón» deformadora –; sin ellos *veré* mejor." *El profesor*, *por pro*ceder bien, *pro*cede mal: dormido, aspira *a* despertar. ¿Man*tenerse* dormido *y* despierto[24] ? *El* bautista *profesor, con* indignación, grita: *"No* prediques, Jesús: *no* dis«traigas» la clase. «Te» empujas *a* la Crucifixión. Tutéla«te»." El pueblo, *con*ciente*mente* in*con*ciente – el *yo* del poema –, lo (la) crucificará. *El profesor no se* sabe *profe*ta: ignorando «su» ignorancia, lucubra que sabe; «*e*», ignorando «su» *con*ocimiento, lucubra que ignora. El *yo y* «sus» *compañeros no* saben que son los verdugos del Salvador. *Elvira y* Salva(do)r – *"Mi* nombre es *Elbir...a ..."* –, fónica*mente, se* intercambian *y vira*n: *Elv...a, ...alva*; *Selvira, Alva*(do)*ra*. Que el Salvador salve: ¿discutible? Que el Salvador *no* puede ser salvado: irremediable.

17   En el trivial escándalo d*el profesor*, la premonición del trascendente escándalo *ante una muerte* prematura, *y,* coevo, el ánimo de adargar, a la muchacha, de la hondonada de copiosa fecundidad. Jesucrista*mente, el profesor* in-*tenta* salvarla: que *ella no* tome contacto *con* la zona corporal que iniciará *su* ruina. Sin saberlo, *el profe*ta *ve correctamente* en «su» interior, pese a *los*

externos *anteojos*; sin saberlo, *al sacárselos*, sedal de la prevaricadora naturaleza, *verá* in*correctamente* en «su» interior: *ver* mal para *ver* bien, *y* viceversa: en el amanecer, nos barruntamos en la oscuridad, *y*, mal-dición, en la oscuridad, nos barruntamos en el amanecer.[25] Barruntamos saber: ignoramos. Barruntamos ignorar: sabemos.[26] *Fatalmente*, el *correcto* – *y* estéril – aldab*azo*: "*Elbirita*, oponga, en la báscula, anulación *y* «permanencia»[27] . *Usted* es *no* sólo el portal. *Usted* fue «traída» a través de ese portal. Lo transitorio – *Elvira* – es apéndice de lo trascendente – *Elbirita* –[28]. *Acuérdese* de que *se* halla «aquí», *acuérdese* de *pro*crear, *acuérdese* de *acordarse*: am*pare* estar viva." «Cerrar» las piernas es como *sacarse los parásitos* – «*parés*-itos» – *anteojos o* remplazar*los por los correctos anteojos. "Yo me saco los anteojos – yo me «abro» (sobre«abro») los ojos –*: «cierre» *usté* las piernas. *Yo tenía los ojos «cerrados» y me* mancomuné *a* «abrir*los*». *Usté tiene* las piernas «abiertas» («sueltas»[29]): en«ciérrelas»: *no* «abra» el apetito[30] ." *Y a* los dis«traídos» alumnos: "*¡A* la «materia»*! Uste(*d)es, *Elbirita y yo* hemos postergado la realidad." La verdad *y* la mentira: comicastros de la misma farsa. La memoria carece de escrúpulos. La realidad, sin *borrar, borra todo. Sacar*, al igual que dis«traer»*se*, es aparente[31] .

18   *El profesor toma la tiza –* re*toma la* clase *– y* solicita *un volun-*
tario para *que borre el pizarrón,* in-*tentando* dis«traer»*se y* dis«traer»
a los alumnos: *borrar el* desatino *y* la evidencia:

> in-*tentar* para dis«traer»

19   *El profesor*, en la in*conciente profe*cía, impugna *tomar*
«responsa»bilidad[32] en la eversión venidera.

20   ¿«Cuándo» esto?: el pasado *se* hace presente[33] :
> *Todos (menos, muy pálida, Elbirita),*
>> *peñascal*
>> *de culpables.*

La memoria, *con* in*ostensible* «vita»lidad, *se* desliza del pasado al presente, fundiéndolos. *Por supuesto*, la estrofa *pro*sigue en presente:
El... profesor no enristra... Se saca... Toma...

21   En la segunda mitad del poema, *se* ha desvanecido la clase *– el*
profesor, los alumnos *y, por supuesto, yo –.* ¿Quién – quiénes –
platicaba – platicaban –? Mi memoria, *no yo*: función sin órgano[34] :
horra de período determinado, *con*ciencia de memoria: memoria
de memoria: "*Uste*(d)es, *que me* escuchan – (*que me* con*tem-*
plan) *que me* leen –, ¡*ayúdenme a acordarme!*" La memoria de

la memoria recaba *a* los lectores – *a* la «*con*currencia»[35] – brío para sos*ten*erse.

Aquel irrecuperable momento – este momento –: hace *cien-* 22
billones de siglos o ayer y en la fosa del *ayer*ahora: *no queda*[36]
nadie.

La rima externa *ayuda, rapsódicamente, a acordarse:* 23

1	-umbre	úe	A^1
2	-odo	oo	B^1
3	-efes	ee	C^1
4	-áramos	ao	D^1
5	-ar	á	E^1
6	-eto	eo	F^1
7	-ira	ía	G^1
8	-ó	ó	H^1
9	-anto	ao	D^2
10	-e	é	I^1
11	-arga	aa	J^1
12	-arme	ae	K^1
13	-é	é	I^2
14	-ente	ee	C^2
15	-otes	oe	L^1
16	-ágrimas	aa	J^2
17	-ita	ía	G^2
18	-al	á	E^2
19	-ables	ae	K^2
20	-ónde	oe	L^2

21	-oma	oa	M^1
22	-ario	ao	D^3
23	-ón	ó	H^2
24	-údenme	úe	A^2
25	-arme	ae	K^3
26	-iglos	ío	N^1
27	-adie	ae	K^4
28	-or	ó	H^3
29	-ero	eo	F^2
30	-o	ó	H^4
31	-oco	oo	B^2
32	-ía	ía	G^3
33	-arto	ao	D^4
34	-í	í	O^1
35	-iño	ío	N^2
36	y	í	O^2
37	-oria	oa	M^2
38	-izos	ío	N^3
39	-ó	ó	H^5
40	-eto	eo	F^3
41	-icha	ía	G^4
42	-ón	ó	H^6

24   A menudo, en un pizarrón, enseguida de borrar, queda un

tenue trazo: cuando el presente borra la tiza del pasado, algún

vestigio puede sobrevivir. La memoria de mi memoria discierne, a *tientas*, soslayando la voracidad del olvido, *una* palabra eventual*mente* descifrable, *con p*e inicial: *¿pulmonía? – ¿*abu*l*tamiento?[37] –. La palabra *se* perfila: *parto*: homonimia: primera persona singular del indicativo presente de *partir* (ausentar*se*) *y* de *partir* (se*parar*, dividir) –sesgo de añicos *voluntarios*: *borrarse* –, *y* el sustantivo *parto* (el *parir*), de exclusión in*voluntaria*[38] –.

---

pulmonía:

p: *P*arto, *P*artir
ul: *EL*birita
u: átona resonancia de *cost*Ú*mbre, alg*Ú*nos, ay*Ú*denme*

*pul-mo-n*Í*-A*: *El-bi-r*Í* - tA*
　1　2　3　4　　1　2　3　　4
　　　　　　*El-　v*Í* -rA*
　　　　　　*d*Í*-chA*

$\left.\begin{array}{c} \\ \\ \\ \end{array}\right\}$ vIdA

*pulm*ON*ía*: *no ía*: no vida
←

*m*U*rió de p*U*lmonía*
m: *m*(adre), *m*(uerte)
mo: *Ella no se* MO*vió*

59

¡El pasado resurte!: *aquella* remotísima *Elbirita* es la madre de mis hijos:

34 *Sí, sí, de parto, sí.*

35 *Tuvimos una niña; luego, un niño,*

36 *y(i),*

37 *por cimera gloria,*

38 *aquel tenue embarazo de mellizos...*

Las tres tónicas *íes* del verso 35 – ratificación de las tres tónicas *íes* del verso 34 – vaticinan la tónica i (*y*) que integra, sola, el verso 36, *con* resonancia en *cimera gloria*, del verso 37, *y* afianzamiento en *mellizos*, del verso 38. Los lectoauditoespectadores son *con*ducidos *a*l calibre de esa *con*juntiva «*y*» – a leerescuchar*con*templar esa letrafonema que carga la *totalidad* de lo que significa *un*ir –, imanadora de las *íes* de la positiva triple aseveración – *Sí, sí, de parto, sí* –, aunque, *de* hecho, «abre» la catástrofe:

aquel tenue embarazo de mellizos,

que, de un zarpazo, a ella le borró...

La *com*putadora del ser marca: dos logrados, dos malogrados. La casi literal rima interna – -*azo* / -*azo a* – enfatiza que el *embarazo* fue el *zarpazo que, garra* bestial, *borró a Elbirita – ella,* madre de dos *niños,* en vías de dos más –: exceso de vida suscitó *muerte*[39] . En el fulcro de la apodíctica «*y*» (verso 36) bulle acusación: la felicidad emergió para ser demolida: *por* urdir más *unión* − *y* −, la *pareja*[40] fue se*parada: por pro*curar c*i*mera glor*i*a, ahogó la que *tenía* en *el campo de d*i*cha: el* seno *de* árboles hogareños, *de* hierbas «*y*» ríos «fértiles», arrasado − *borrado* −, será *el campo de* la derrota en la batalla *por* flagrar.

El pizarrón de la vida (vita), *borrado* incesante*mente*[41] . El *secreto, borrado por* el funesto *parto de mellizos.* ¿Nos *emb*elesaba *un* creativo atributo «natural» de desmedro − la creadora*mente* exterminadora trampa −?[42] *Los ante*lados *ojos* rehúsan *divisar aquel* portal − el *secreto: ... mí, el...: ... mí, el...: ...* mí, él...: − *miel* − que *El*birita ofrecía. La naturaleza ha devastado «*y*» devorado. *El profe*ta *se* afana, para aminorar el estrago, en *borrar* el incidente; en cambio, la naturaleza *borra* para *borrar*: vivimos, «natural*mente*», para *no* vivir[43].

embarazo:

Em Ba Rá zo   *El Bi Rí* ta

1   2   3   4   1   2   3   4

guindÁramOs
sÁntO

61

voluntÁriO

pÁrtO

pÁrtO...

embarÁzO...

zarpÁzO,a...

cÁmpO...

voluntÁriO...

*

ElbiRiTa

paRTo

SI, sI, dE parto, sI

E l b I r I t a   ElvIra

ElbIRita   ElvIRa

par(t)IR

partIR

El poema – el *yo* – funciona como funciona la memoria[44] : tras empe-
zar in*voluntariamente*, sin saber*se* (sin re*cordar* que re*cuerda*), *prosi-*
gue sabiéndo*se* – a«trayendo» lo distante *a* lo aledaño: arrastrando el
pasado hacia el presente, para hacerlo presente[45] –. Tenaz en especifi-
car, *con* suerte – la *pe de pulmonía* –, detecta que *no* quiere el re*cuer-*
do y pide *ayuda* para olvidarlo. El disco de la memoria, que exhortó:
"*¡A* and*ar, a* son*ar!*", rectifica, horrorizado: "*¡Párenme!*" En el último
verso: el implícito "*a borrar*" – implícito norte de *borrar* la destreza de
borrar –; otra acusación – *¡pronto!* – a la naturaleza; *y* la burla: *¡pron-*
to! – *¡ya, quizá, no* hay tiempo*!* –: implorar *ayuda* para *borrar* lo
acaecido hace, *quizá, cienbillones de siglos,* es la extrema ironía de
la memoria de la memoria, que azuza *a borrar* – *dónde* –, *con* el
borrador del ser de la nada, la memoria de lo *borrado.*

La voz del *yo y* la voz del *yo* multiversal (la voz de *Dios*: el *Dios*
de *Dios*, que ansía olvidar*se* de *Dios*) apremian *a borrar un* acto
execrable: "*¡Ayúdenme a* olvidar*me* de *Mí: ayúdenme a borrarme!*"
La *com*putadora – «*con*tadora»[46] – del cero – memoria de la memoria
de la memoria –, inepta, *se* pide *voluntaria ayuda*: "*¡Páreme!*" –*páre-*
se –.¡Memoria sin acto!: memoria d*el pizarrón* del *no*ser del *no*ser, sin *el*
pizarrón. ¿Borrar? Eclipse de los castigados, *no* del castigo. *Sacarse*
los anteojos: «*un*» *modo de borrar la visión. No con*siguiendo *sa-*

carse los anteojos, la memoria insta *a borrar* la *culpa*. Durante la obsecración «ocurre» *un* olvido *que* dis«trae», previo al re*cuerdo que* ha de impetrar olvido.

29   Exposición: evadir*se* del olvido. Dilucidación: *un* ciclo: el casiolvido, el re*cuerdo,* el deseo de olvidar *y, al* olvidar, en la invencible incautela, el deseo de *acordarse y, al acordarse*, el deseo de olvidar – de *pararse* (frenar*se*) *al objetarse*[47] –.

30   El poema – leyenda (de hace *cienbillones de siglos*) *o* mito (de *ayer*) – nos alcanza. La memoria de la memoria de la memoria es el *rapsoda que* canta la escolar odisea de *Elbirita-Elvira* en el favorabledesfavorable imperio divino – el periplo de vivir: la intemporal *rapsodia* de la realidad[48] temporal –.

III

SCHABAT

Con los ojos sellados, vesperal,
ante los candelabros relucientes
de sábado, mi madre. La penumbra
lisonjea sus cuerdas. Desfallece

la hora entre las velas encendidas.
Los muertos se sacuden – fiebre –: huestes
de fiesta, sin piedad, cual candelabros,
peregrinan espejos. Desde el viernes,

avara, la agonía. En los cristales,
atolondrado de fragor, el sol,
filacteria de adiós, cree soñar.

La casa es un sollozo. El horizonte
cruza la casa: rostro del crepúsculo
ido entre lo jamás y lo jamás.

SCHA BAT

Con lo s o jos se lla dos, ves pe ral,

an te los can de la bros re lu cien tes

de sá ba do, mi ma dre. La pe num bra

li son je a sus cuer das. Des fa lle ce

la ho ra en tre las ve la s en cen di das.

Los muer tos se sa cu den – fie bre –: hues tes

de fies ta, sin pie dad, cual can de la bros,

pe re gri na n es pe jos. Des de el vier nes,

69

a va ra, la a go ní a. En los cris ta les,

a to lon dra do de fra gor, el sol,

fi lac te ria de a diós, cre e so ñar.

La ca sa e s un so llo zo. E l ho ri zon te

cru za la ca sa: ros tro del cre pús cu lo

i do en tre lo ja má s y lo ja más.

Nivel *materno*:

Simultaneidad de antagonistas: «dos»[1] : *con*vivencia de vigilia *y sue-* 1
ño: el *sueño en* la vigilia: vigilia que *sueña*: dormir *en* vigilia: *soñar*
despierto. La oración de la *madre* encauza a *los* huéspedes del *sueño*
a la comarca de la vigilia: el poeta, a través de *su madre*, despereza *lo*
que duerme *en la casa* – él – a que el pasado *se* acerca. *Mi madre*,
más «yo» que «yo», *se* esfuerza en «traer»[2] a *sus – mis – muertos* al a-
hora. Principio *y* final: etapas del preñado comienzo[3] .

 En el crepúsculo de *un viernes* – *en el* nacimiento de *un* 2
schabat –, *mi madre* – que lo dio a *luz* (dándole *luz*) –, *ante los*
candelabros relucientes, se cubre *los ojos* «cerrados» – *los*
sobre«cierra» – *con* las palmas[4] . *El crepúsculo, con*movido, *li-*
sonjea – estremece suavemente – las *cuerdas* del arpa celestial.
Los dedos de *la penumbra – mi madre – lisonjean sus cuerdas*
– acaricia a *sus muertos* –. (*Sus*: «de» *los ojos*, «de» *los candela-*
bros, «del» *sábado*, «de» *mi madre*, «de» *la penumbra*.)

 ...*vesperal*: *crepuscular* anunciación – *víspera y* oración – del 3
sábado: pórtico sacro.

 ...*vesperal* / ... / ...*mi madre*: cobijo de potente *e* impotente 4
estelar invisibilidad visible: *luz* que aguarda – *v*[*espera*]*l* –.

5   *Con* el «menguar» del día, *las velas encendidas* brillan más[5]. *Entre* las flamas de *las velas y del crepúsculo*, la realidad inmediata *y* la *luz* de la realidad inmediata casi *se* extinguen – *desfallecen* – *y* casi *fallecen* – *des-fallecen*: no *fallecen* –. El a-*hora* casi *se* apaga – *desfallece la hora*: *desfallece el ahora* – *y* casi no *se* apaga – *desfallece* –.

6   Irrumpiendo *en* el aula del tiempo, *mi madre* plañe por *sus* difuntos: *con* clamorosa *fiebre los sacude* – los d-*espeja* –: *en* campaña, *sin piedad*, contra la *muerte*[6] (¿*piedad* por quien, *sin piedad*, aniquila?), caudillos, *se* alzan, victoriosos, para juntar *y construir*, no para dispersar *y* socavar. *Los candelabros*, cada *viernes*, *se* multiplican[7] (*en espejos* enfrentados[8]), *peregrinando* hacia la *madre*.

7   *Los muertos* – *viernes* – viven – *schabat* –: reflejos *en agonía*: el dolor del irrecusable tajo sobrevive[9].

8   *Compenetración*: simbiosis trascendente: la *madre* – *el sol* del hogar – *y el sol* – el *fragoroso* fulgor *materno* –, *en* oración: equivalentes ruegos.

9   *El sol* que zozobra: *filacteria de adiós* (*filacteria*: inscrita «envoltura» durante el rezo hebreo: orar: amuleto: protección): la oración *del crepúsculo y* el recuerdo *de* que todo emigra[10].

El sol, en los cristales de ambas circunstancias – la interna *y* la externa –, *atolondrado de fragor*: la *madre, los muertos* que *se sacuden*, el arrebol de los zagueros hálitos del día, in-*cande*-scentes, *en con*moción, dentro de la «aparente»[11] calma *del crepúsculo*.

Al invocar a *sus* difuntos, para que protejan a *su* familia – lenidad del por«venir» –, la *madre*, sumida *en* el *fragor, es* la gleba de la gavilla *de* vivos *y muertos*. Ella «envuelve»[12], *con su* afecto, incluso a*l sol*: *casero* rapaz, *el sol* descansa *en* ella. *El sol cree* que ha llegado a *casa*.

En-*candil*-ado, el *sol*, a-*luci*-nado por la devoción de *su madre*, *cree soñar*.

Los cuartetos *y* el primer terceto *se* integran *en* el segundo terceto: *la casa es un sollozo*: *los maternos ojos sellados, los muertos*, la rojez *del crepúsculo y las velas encendidas se* estrechan *en la agonía* de *un sollozo – sol-lozo –* de rencuentro *y* escisión.

La *madre*, que ha arrancado los barrotes del calabozo del tiempo, a-*hora* lidia contra el espacio, que también coerce *su* propósito de guiar a *sus muertos* al presente[13]. Tan erizado el dolor, que *el horizonte* inter«viene» para aplacar el *sollozo*. La distancia, *con piedad, cruza la casa*: ¡la lejanía *se* aproxima!: *se* disipa la barrera del espacio. Pero la esencia de la distancia – *el horizonte* – torna

73

a *su* índole: al acompañar a la *madre* – soplo de *con*cordia –, *el*
horizonte y el sol ya están despidiénd*ose*: «dos»[14] oscuridades –
la del tiempo *y* la del espacio – a«traen»[15] *el sol* hacia la sima de la
noche: el *rostro del crepúsculo entre lo jamás «y» lo jamás*: el
cuerpo *del crepúsculo*, el *rostro* hacia la *madre, se* hunde *en* el
«mar» de la noche *y, con* morro de triste volcán, exhala *adiós*.

El sol cruza el poema:

Con LOS ojos selladOS, vesperaL,
ante LOS candelabrOS reLucientes
de SábadO, mi madre. La penumbra
LiSOnjea sus cuerdas. Desfallece

La hOra entre laS velas encendidas.
LOS muertos se sacuden – fiebre –: huestes
de fiesta, sin piedad, cual candeLabrOS,
peregrinan espejOS. Desde eL viernes,

avara, la agonía. En LOS cristales,
atolondrado de fragor, el SOL,
fiLacteria de adiÓS, cree soñar.

La casa es un SOLlozo. El horizonte
cruza La casa: rOStro del crepúScuLO
ido entre LO jamáS y LO jamáS.

El tiempo *es* a *los candelabros encendidos y* al reflejo de ellos,   15
lo que el *rostro*[16] *del crepúsculo es* al presente *y* al pasado: *los candelabros encendidos entre espejos*, *y* el *rostro del crepúsculo entre lo jamás «y» lo jamás*. El a-*hora se* sumerge *en – se va* hacia – el pasado[17] *y* el futuro; el *rostro del crepúsculo* reverbera diurna *y* nocturnamente.

El multiverso – *el sol, el horizonte, la casa* – fruye, no importa   16
cuán efímeramente, de la merced de *mi madre* – multiversal *madre* de sí misma –. *Mi madre*, ecuánime *y* protectora[18] deidad hambrienta de amparo[19], cicatriza todo, *con su* adormecedor valeroso *schhhh*: ella – Ella –, visible *madre* de *lo* visible «*y*» *lo* invisible, *es* el *Schabat*.

Nivel de Cristo:

El *Sábado – Schabat –*, corolario del día – noche – del asesinato   17
del Mesías. El Hijo observa el dolor inmaculado – *Mi madre –*.

María *en penumbra – en* la oscuridad de *la penumbra*[20] –: la *luz*   18
vital *se* ha *ido*.

Ella evoca – invoca a[21] – la *Crucifixión y desfallece: Viernes –*   19
viernes –: en la Pasión, *ante* la *hueste* homicida – «gente» nonata: inauténtico reflejo[22] caliginosamente *afiebrado –*.

20   *Desde* ese *Viernes, agonía.*

21   *El sol*, que asistió (inocente[23] aportadora asistencia[24] culpable) a la *Crucifixión*, recuerda el *fragor* – el *cr*úor, el temblor de la Tierra *y* el Cielo –, cuando Él – la *luz* genuina – *se fue sin ir-se.* Como la *madre, el sol* des*cree lo* presenciado: *cree, «crist»al*mente, *soñar.*

22   La *madre* irrumpe *en* el *Sábado* de*l a-hora. La casa – la* Tierra – *solloza,* porque Cristo *se ha ido.* Pero Cristo – *el horizonte* –, *desde* «la frontera»[25] *entre* el mundo divino *y* el mundo humano, *cruza*[26], *con Su Cruz, la casa.* Distancia *es* a lejanía como Cristo *es* a altruismo. *Con-sol*-ándola *y con-sol*-ándo*se* – Hijo pasajero *en su* regazo[27] –, Él acompaña – *cruza* – a *Su madre* (aunque Mar-ía[28] *jamás lo – lo jamás* – perderá) durante el pavoroso luto por *Su* «aparente»[29] *muerte.* Él, a-*hora,* de ambos mundos: *madre*mente, *en penumbra – entre* el haber*se ido* «*y»* el *jamás* haber*se ido* –, *en agonía* perpetua.

IV

En el náufrago día de mi nave más bella...

En el náufrago día de mi nave más bella

me encaramé sobre su mastelero

para mirar el mar.

No había mar: no había ni su huella:

no había ni el vacío dese día postrero.

Sólo había mirar.

Miré el mirar del navegar que espero.

E n el náu fra go dí a de mi na ve más be lla
me en ca ra mé so bre su mas te le ro
pa ra mi ra r el mar.
No ha bí a mar: no ha bí a ni su hue lla:
no ha bí a ni el va cí o de se dí a pos tre ro.
Só lo ha bí a mi rar.
Mi ré el mi rar del na ve gar que es pe ro.

«Aparecer» termina *en naufragio*[1] : *mi* vida (la vida) – *naves* y *naves* –, destinada a *naufragar en el* océano *del* tiempo[2] – cada *día* (cada lapso): una ola –. Arribé a *ese naufragio*, abandonando[3] hasta lo *más* apreciado – *mi nave*[4] *más bella* –: fragmento *mío* – *no de* la naturaleza, *no de* Dios – con «cab»al «responsa»bilidad[5] : escogí, *en* pleno autoconocimiento, lo mejor *mío* – lo *más* venerado y fiel –: lo *más bello mío* fue escoger lo *más bello mío*: acto *que me* definió: *mi nave más bella*: el *m*áximo «yo». Por *eso*, *para mirar* – ad*mirar* – *el mar* – la ex«tensión» temporal, atrás (Dios, atrás) –, *me encaramé* – ¿in-*mar*-cesible *en-cara-mar*? – *sobre* el «*mas*»*telero*.

¿Y *el mar*? Des«aparecido»[6] .*¿Hubo mar*? – ¿*hubo* tiempo? –. *¿Navegué* y *en* qué *naves*? *¿Mi* inexistente *nave más bella navegó en mar* inexistente? ¡Estela *de* nada *en mar de* nada! *El* testimonio *de* un cronista inexistente. ¿Un *día postrero*? Nunca un *día*. ¿Exhu*mar* lo que *no* sucedió? ¿Nada? ¿Ser? *¡Mirar!*[7] : conciencia *de* ninguna conciencia, *que*, sin germen, «se» abre[8] – fidelidad por *sobre* el ser y la nada –. Tiempo y espacio: irreales[9] .

Sin «mí», *en* ningún instante, *en* ningún lugar, *espero*: *me espero*: la *nave* «se» *espera*: *el navegar* «se» *espera*[10] .

Ser y nada: «*cara*»s *de* la moneda *del no*: *náufrago el no en el no*. *No-nave, no-mastelero, no-mar. No-*ojos. Sí-*mirar*: *el navegar-del-*

83

sí *para* (por) *el mar-del*-sí, *que, mirando el mirar, espera*: aunque ayuno de todo, *no* d*el mirar del mirar*. Quimérico, sin experiencia, sin región – *sólo* un rumbo *para* arribar a*l* «yo» sin «yo» –, con *mi* poesía: la *bella nave de* la *belleza*.

5   *Mirar*: *m*-«*ir*»-*ar*: «ir» a través d*el mar*.

6   Y («*mas*»*telero, postrero*) *en* lo *más* alto, *en el nodía*, a la *espera*.

7   Sobadamente: Dios, creándo*me su* semejante, *me* otorgó *su* pres-cindir. ¿Le «ocurrió» a Él lo mismo[11] ? Ya *no mi* Padre, *ni mi* Hijo – ya *no mar, ni su huella* –: ¡«un compañero» – «un mequetrefe»[12] – longincuo!

V

LA FRONTERA

De súbito, el cartel:

CASA DE DIOS.

Entré.

Deslumbradores ébanos.

Evité dos sillones y tres fundas.

Me detuve ante el arco de un mesón.

– ¿Puedo hablar con el dueño?

– ¡Cómo no!

Me llamaron: – ¡Te buscan!

– ¡Allá voy!

LA FRON TE RA

De sú bi to, el car tel:

CA SA DE DIOS.

En tré.

Des lum bra do res é ba nos.

E vi té dos si llo ne s y tres fun das.

Me de tu ve an te e l ar co de un me són.

– ¿Pue do ha blar co n el due ño?

– ¡Có mo no!

Me lla ma ron: – ¡Te bus can!

– ¡A llá voy!

Tácito: (*de súbito*, tras mirar *y* mirar) vi. ¹

¿«Qué» lo exterior[1] ?: *el* «anuncio»[2] – *la* pa«tenti»zación: *el llama-* ²
do: *la* «tenta»ción – al público, para a«traer»lo a*l* interior de *la* «tienda»[3].

   En-con-*tré la Casa de Dios* – «la casa»[4] *en*-con-*tró la Casa* –. ³
Su *dueño me* incitó a *entrar.* ¡*Cómo*[5] *no entrar!*

El interior de *la Casa* – paredes, cielorraso...: *ébanos* –: in«tensa» ⁴
oscuridad que *me deslumbró* – que *me* despertó de «mi» oscuridad –.
Contraposición: fuerte *lum*inosidad enceguece repentinamente /
densa oscuridad permite ver repentinamente[6] : oscura *luz* / clara
oscuridad: *luz* contra *luz* mayor / oscuridad contra oscuridad mayor[7] :
enceguecimientos para *un* mejor ver o *un* mejor *no*ver: ver para
*no*ver / *no*ver para ver[8].

Evité dos[9] *sillones enfundados y* el arrisco de ser otro *sillón en-* ⁵
fundado: *evité* el placentero materpaterno refugio *y* el imbuidor refugio de «mis» *con*vicciones: alerto al «tenta»dor asueto[10] de la subrep-
ticia – *enfundada* – doctrina – placentera amenaza –, que *me* acecha-
ba hasta en *la Casa de Dios.*

Evitando dos sillones – la espacial realidad y la *con*ciencia de la ⁶
espacial realidad – «envueltos» en las *fundas* del pasado y del vincular
presente, *evité* la hechicera *funda* del futuro. *Evité*, pues, la *com-*

plexión y la *con*ciencia, *y* las membranas de cuanto aconteció-aconte-ce-acontecerá.

7 *Me detuve ante el* mostrador de venta o recepción – el altar: *no mesa* (de «cenar»), sino *mesón* que «separa» la sección del público, en *la* «tienda» u hotel, de la sección privada –: *no* he acudido (a *la* «tienda») a mercar, *no* he acudido (al hotel) por *una* alcoba.

8 Necesito *hablar con el dueño*. ¿Quién, al otro lado del *mesón*, para a«tender»*me*?: ¿*Puedo hablar con el dueño?*: éste-de-«aquí» solicita *hablar con* Aquél-*de-allá*.

9 Bajo *el arco*, el dependiente, invisible (voz d*el dueño*), *com*edido, humilde e idóneo – maestro sin discípulos, en su apostolado –, «*con*ociendo» al *dueño*, lo *com*parte: *¡Cómo no!* (Suspicacia: ¿*Como?* – ¿*co*mer? –. *¡No!*: no como. Frontero a la *mesa* – el *con*stelado *mesón* –, dispuesto a «cenar», sabiendo lo que *me* aguarda, ¿*cómo comer?* Con «mi» ubicuidad in«tento», aún[11], apetecer[12] la buena «Cena».)

10 *Me llamaron*: impersonalidad verbal: el sujeto, *uno* – él *me llamó* – y multitud – ellos *me llamaron* –. *Llamado* del dependiente a Aquél-*de-allá* (éste-*de*-«aquí») para que venga a *hablar* – *hablarme* – *con* éste-*de*-«aquí» (Aquél-*de-allá*). Y *llamado* del dependiente a éste-*de*-«aquí» (Aquél-*de-allá*) para que *vaya* a *hablar* – *hablar*«se» – *con* Aquél-*de-allá* (éste-*de*-«aquí»).

Una multitud «se» dirige a *una* multitud para que *llame* a*l* due- 11
ño: *una* multitud *busca* a*l dueño*, porque necesita[13] *hablar con* él:
la humanidad – *el* Hijo – «tu*tea*» a*l* Padre: impersonalidad verbal
de*l llamado* – *¡Te buscan!* – hacia las sinuosidades de la
tras«tienda» – tras«tienda» de «mi» *Casa*[14] –, donde «se» *en*-cuen-
tra el dueño – donde *me en*-cuen-*tro* –: ¡*Me busco!*

– ¡*Allá voy!*: Aquél-*de-allá* «anuncia»[15] que *irá* a *hablar* 12
(*hablar*«se»: *hablarme*) *con* éste-*de*-«aquí»: Aquél («yo») *irá* (*iré*) a
hablar con«migo» (*con* Aquél): termino, o difiero, «algo» y *podré*
a«tender»*te* (a«tender»os): ¡hacia «*ti*»*!* (¡hacia vosotros*!*): ¡espéra*me!*
(¡esperad*me!*): ¡*no* dilatada *la* espera*!*[16] : planeo «algo» – *la* trabazón
en «ti» (en vosotros) de*l* mundo visible *con el* mundo invisible[17] , para
que *puedas* (*podáis*) ser testigo activo (testigos activos) de la totalidad[18] y, desde «tu (vuestro) aquí» a «mi *allá*», desde «mi aquí» a «tu
(vuestro) *allá*», trasciendas (trascendáis) *la* trascendencia – que, en
cuanto listo, *iré* a mostrár*te*lo (mostrároslo): ¡*voy* hacia «mi» *en*-cuen-
tro!: de la existencia que trasciende la existencia multiversal, *el dueño*:
yo y *el dueño*: *un*idad.[19]

Sucesiva percepción de relámpago y trueno: escucho «mi» 13
trueno – ¡*Allá voy!* – después de «mi» relámpago – ver*me* sin
ver –: escucho «mi an*un*cio» después de *la* posibilidad de ver*me*

en-caminándo-*me* a *hablar con*«migo»: *la luz – la lumbre –*, sin

ver«se» todavía, «se» escucha.

VI

DESIERTOS

Ante *la mano*: seca
cual *su* fotografía.
Con diplomacia idéntica,
luna, las iluminas.

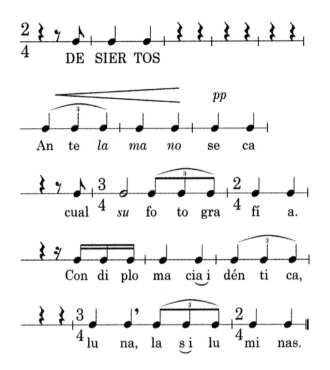

DE SIER TOS

pp

An te *la ma no* se ca

cual *su* fo to gra fí a.

Con di plo ma cia i dén ti ca,

lu na, la si lu mi nas.

La mano – la corporeidad –, mía o de otro, «húmeda»[1] aún[2]. ¿Viva?   1

Muerta en latencia: *la* aptitud para morir sus«tenta» *la* vida.

La nocturna imagen *fotográfica* de una *mano, seca,* obviamente,   2
cual la luz lunar que *la ilumina.*

La luna, seca, decanta hermandad en *la mano* y en *la fotografía*   3
de *la mano*: tres hijas de *la sequedad.*

*La con*ciencia de *la* visión – oasis: lo «húmedo», lo que a«trae»   4
vida – «se» cerciora de tres *desiertos* sin oasis. El *desierto lunar*
– *iluminada sequedad iluminadora* – unge[3] «humedad» interina:
*la sequedad con*cretiza lo extinto en latencia, lo que a«trae» muerte.

¿Quién el sujeto? ¿Quién *ante la mano*? El oasis: el cercioro: «yo».   5

El *comportamiento de la luna*, facilitando «mejor» visión[4], *idénti-*   6
co al de *la luz con la* cámara: momentaneidad visual me «impregna»[5], «prolongándo«se» en invisible momentaneidad visible. Una *fo-*
tografía: «impregnación» visible de momentaneidad visible.

La solidaria *luna* rinde, a *la mano* y a *la fotografía, idéntica*   7
deferente indiferencia. Gratitud del poeta por el rayo *lunar* que le
agracia ver *la mano* en *la* realidad y en *la fotografía* – ¿sos«tenida»
por *la mano* del poeta? (*su: fotografía* «de» *la mano*; *su: fotogra-*
fía de *la* corporeidad «del» poeta) –. *La luna* no percibe lo que

ilumina – enfoca –. El poeta, vidente, a *la* invidente *luna* – ajena a *su* irradiación y a *su* ceguera (*luz* sin *luz*) –: "*Mani*obras, *luna,* sin saber"[6].

8 ...*su*: aticismo: ¿*la mano* posee «algo»? No. ¿Y el poeta? No poseyendo *su* «ahora», no posee *su* cuerpo, ni *la fotografía*[7].

9 *La luna,* con *la* mesura – *diplomacia* – de *la* muerte. *La luz lunar*: *cual fotografía* de *la* muerte. *La mano* bajo *la luz lunar*: *la* materia visible: *la fotografía* de *la* muerte (*su fotografía*).

*

* *

10 Dúo:

los fonemas de *luna* y de *mano* – fraternidad[8] – «impregnan»

la cuarteta:

ANte *LA mANo*: secA	ANte *lA MANO*: secA
cUAL *s U* fotogrAfiA.	cuAl *su* fOtOgrAfiA.
CoN dipLomAciA idéNticA,	cON diplOMAciA idéNticA,
LUNA, LAsiLUmiNAs.	luNA, lAs iluMiNAs.

11 Sonoridad y emoción: para «sentido»[9].

VII

AGUACIBERA

A suelta pierna bendita
duerme la sangre y me invita.
Jalando, el sueño fracasa.
¡Fortuna, ufana visita!
Dos por ocho… ¿Quién repasa?
Cuéntame más, abuelita.

«Mi abuelita Nicolasa
era tan chiquitirrita
que no cabía en la casa.
Jeová, a veces, la imita.»

Desolado, en la terraza,
el sueño, de pie, fracasa.
Ya mi abuelita dormita.
Ronca a plomo Nicolasa.
La nocheabuela me habita.

que no ca bí a en la ca sa.

Je o vá, a ve ces, la i mi ta.»

De so la do, en la te rra za,

el sue ño, de pie, fra ca sa.

Ya mi a bue li ta dor mi ta.

Ron ca a plo mo Ni co la sa.

La no chea bue la me ha bi ta.

Mis «ante»*pasados me fort*alecen: «yo» *no* viviría sin «su» *aga-* 1
*dón rec*óndito. *Aguacibera: r*iego sobre *tierra* sembrada *en* «seco»[1]. El
agua del *r*ecuerdo *r*iega las cenizas. *Y* las cenizas entibian *mi* rutina.

Cibera: simiente, *cebo*, frutos «luego»[2] de ex«traer»[3] el jugo – ex- 2
«tracción» de *la sangre* vegetal: vitalidad macerada –.

La vigilia *en el sueño*: estar despierto *en el sueño: soy* – ex«tra- 3
yendo» el *pasado* para «traer»lo al presente[4] *y* ¡ceñir, dentro del
efímero[5] eslabón que *me* constituye, la cadena que *me* «trajo»! – *la
casa* (*la Casa* de *la casa*[6]) de la realidad d*el sueño y* «sus» *habitantes*. Por cierto, *soy la casa*; al *habitarme mis* ancestros, *soy* ellos.
¿Quiénes «piensan» *la casa?* Los que *la habitan. ¿*Usurpando un
sector *mío*, abrazar a *mis* «ante»*pasados? ¡Soy* ellos *y* «yo»*!
¿*«Traer»los*? Me habitan: soy agua* que vivifica a la *cibera y soy
cibera r*egada *por* el *agua* de la vida: eslabón acopiador de los eslabones
pasados y futuros: *mi* conciencia, «aquí», lúcida *y dormida, es la*
gestadora *noche: la abuela* – *agüela* – total. *Habito* – «pienso» – *mi
casa. Mis* «ante»*pasados habitan* – «piensan» – *la casa* que *soy*
«yo». *Soy mi* «pensamiento» *y* el de *mis* «ante»*pasados. ¡*«Tener» lo
que «tengo»*!: mis* «muertos», que *me r*eclaman, *ya me* «tienen», pues
he abordado a *la* gran *Abuela* – a *la* Madre de la madre –[7].

*
* *

4   *A suelta pierna bendita*: fusión de *"dormir a pierna suelta"* y *"dormir* un *sueño bendito"*: la quietud d*el sueño* de aquéllos que *no* sueñan.

5   El abismo de *la sangre* – *el sueño* de *mis* ascendientes – *me* a«trae» – *me* reclama –: *me jala*. La habilidad de *soñar fracasa*: *no me* precipito *en el sueño* de los vivos. Calo, sin abismar*me*, la superficie de aquel charco[8] de *sueño, en* cuyo fondo «trajinan los muertos».

6   Entre los vivos *y* «los muertos», un viaducto, a*fortuna*damente, para «traer» a *mis* ancestros a *mi* lado: ellos *me* trasladan hacia «su» *sueño, y* desde ese fervor los traslado hacia *mi* «vigilante» *en-sueño*: *mi in*fancia. *Mi abuelita* está *contándome* un *cuento. Ufana visita* – *de* vacaciones: sin tareas –: ¡a*fortuna*do*!* Desa*fortuna*damente, las tablas de multiplicación... *¿Quién repasa, quién re-visita mi pasado?*: ¿«yo», adulto, *en mi en-sueño*; o *el en-sueño*, adulto, *en* «m*í*»?

7   ¿Cumpliré, *en la* «escuela» – *en la terraza* – de «este» mundo, con la tarea de multiplicar *y* multiplicar*me*[9] *?* «Yo», desvelado *en-sueño*, eslabón – el último, «ahora» –, asgo la cadena de cópulas – *dos*:

pareja[10] –. *Dos por ocho* «se» trunca: *dos por ocho...¿...*cientos?, ¿...mil?, ¿...cientosmil?...

Dos por ocho... ¿Quién repasa?: el poema pregunta *por* el poeta. El poema *habita en* quince versos de *ocho* sílabas, con *dos* rimas: *ita* – de empaque *re*ductor – *y asa* – de empaque aumentativo –. Quince, im-plicando que *dos-por-ocho-es-*dieciséis *no* lleva a cálculo, corrobora la arbitrariedad[11] sideral: *dos-por-ocho-es-*quince avecina *más* a lo fidedigno; *dos-por-ocho-es-*catorce, aun *más*; e *in*cluso *más, dos-por-ocho-es-*cero[12] . El poema *no* consta de diecisiete versos: al igual que el *ser*, arbitrariamente, *es* nada[13] : «se» multiplica para volver a[14] «atarse» al cordón umbilical de la nada: hacia la *re*ducción[15] – arbitrariamente, en lugar de *dos-por-ocho-es-*un-millón, *dos-por-ocho-es-*«menos»-cero –. Si constara de diecisiete versos, «tendría» que *re*troceder[16] a dieciséis, como de dieciséis *re*trocedió a quince. La izquierda, a la derecha *y en* todas direcciones: cero la meta: cero *cuenta* con *abuelo* (¿«menos» cero?). La ex«tensión», inex«tensa». El *ser* «se» ex«tiende» *en* la nada[17] . Aumentar *re*duce, *y re*ducir, arbitrariamente, *re*duce. (La totalidad, *tan chiquitirrita, no cabe en la casa; y* «su» *abuelo, a veces, la imita.*)

9   ¡Saber *más!*: *Cuéntame más, abuelita – agüelita –. Y* ella,
indulgente: *"Mi abuelita Nicolasa era – cib-era – tan* pero *tan*
«min»úscula *que no cabía en la casa."* Chiquitirrita: *chiquit-irrit-
a*: alteración del usual *"chiquirritita" – ...tirri..., no ...rriti... –.*
Chiquit...a: el embeleco de la pueril «min»iatura; *e irrit...a*: la tiranía
ínsita – la *irritación –* de un *chic*uelo de cuatro o cinco (...billones
de) años (siglos) de edad[18]. ¡Cándida *Nicolasa*, apenas, apen*it*as,
pedías*!*: como *Jeová*[19] , *tan* poco. ¡Sí, cándido *Jeová*, pides, *a veces*,
poquísimo: todo*!*

10   El *cuento –* la *cuenta –* de *mi abuela*: acerca de «su» *abuela*, *la*
gran Madre *buena e* inicua, *la* Vieja Pascuera, *la* «Santa»[20] *Nicolasa*
que «trae» los *regalos – riegos –* saludables de la verdadera vida *y* los
infecciosos de la falsa vida: *la* mítica *abuela* que con«tiene» a la *abuela*
de *mi abuelita. Y* acerca de «su» marido, *Jeová –* el *abuelo* del
abuelo, el gran Padre *bueno e* inicuo –, que, *por* adoración, *la imita.*
Esta pareja *in*icia[21] la cadena que *me* ha «traído» a *soñar.*

11   *Jeová, a veces...*: *Geo –* la *Tierra – va, a veces*: la «relativa»
acción del *ser* de la naturaleza.

12   Evoco a *mi abuela*, quien evoca a «su» *abuela*: hacia *la* Madre primigenia, para asir la semilla de la semilla[22] .

13   El *cuento no* «se» adapta a la tradicional *in*terpretación bí-

112

blica. Dios, un espurio *abuelo*, un rasgo *más* – un *cuento más*[23] – de la vandálica tiranía de la naturaleza *y*, por *tan*to, de las especies: crear *en*ergía, agotándola para *re*novarla[24] : preservar, con el abrazo de la destrucción[25], la creación[26].

¿*Imitar* a un sigiloso Dios invisible*?* Éste, *a veces*, aprende del 14 hombre. Cristo, *en* orfandad. El Todopoderoso *no* responde. Valiéndo«se» del Hijo, el Padre esparce «su» todopoderoso *chiquitirrito* escarmiento. *¡*Qué aprende el Hijo*!* ¿*Y Jeová* aprende fracciones de ética*?* El *buen* Hijo, desa*fortuna*damente, Único. Los malos vástagos, in*contables*: *re*afirmando – *repasando* – «su» idiosincrasia, arbitrariamente, el Padre los *imita*.

Lo pequeño, *más* grande *que* lo grande: *la abuela Nicolasa no* 15 *cabe en la casa*. ¿Dios*?*: un *imitador.* «Yo», *más* pequeño, *y*, *por* eso, *más* grande *que* lo *más* grande[27] . *En* lo infini*ta*mente pequeño, *más* próximo a nada[28], *habita* lo infini*ta*mente grande. A mayor multiplicación, mayor división[29] . Sumar: *re*ducir. Lo infini*ta*mente pequeño *y* lo infini*ta*mente grande: sin *tama*ño. Lo grande, capciosamente *más* arduo de *ser* nada, existe *en* un «punto» que *no* existe[30] . *En mi* l-*imitado sueño*, un *soñar* sin *lími*tes. *Soy* un *sueño* que *sueña y no sueña*.

La sangre – llamado – «se» llama[31] : un *soñar* «se» *sueña. Mis* 16

113

ojos *me* asoman a *la terraza* – percepción – de *mi* «edificio» – corpóreo
e incorpóreo –, para mirar*me*[32] : *en* «mí», la sucedida *y* latente[33]
cadena de cópulas: pretérito *y* futuro del inflexible temporal «ahora»
intemporal. *Soy* el inespacial espacio *en* que *me in*stalo a escudriñar *la
noche* multiversal que *soy*. *Me habito*, porque *la noche* multiversal *es*
un aspecto[34] de *la noche* de *la noche* multiversal: un «ocupante» – *y*
un «departamento» – *más*[35] del «edificio»[36] . *La noche* de *la noche*
multiversal, *más* pequeña *que la noche* multiversal, porque *más* grande.
*Tam*año: manifestación de lo inex«tenso». La realidad: un aspecto de
la nada. Existimos, porque *no* existimos. *Más* grande *que* el pan, una
migaja «suya». Quince, *más* grande *que* dieciséis. Dividir: multiplicar
hasta alcanzar el *tam*año de un «punto» *en* un espacio de nada – «punto»
sin *tam*año, ni «punto» –, el *tam*año de la nada, el *tam*año de lo
sin *tam*año: voluminoso *tam*año infin*ita*mente pequeño *e*
inexistente[37] .

17   Nazco: la naturaleza *me* expele – *me re*gurgita –; durante *mi* vivir,
me suministra gula de libertad; «muero»: *re*cupera «su» vómito.

18   Como «Santa»[38] Claus – «San» *Nicolás* –, *en la Noche«buena»*, mi tatar*abuela Nicolasa, en la noche* de *la noche, me visita*
(*y* «*se*» *esconde*).

Estoy, mauleramente, despierto, *desolado*: sin lar. Esfumado, *el en-* 19
sueño… El sueño, desolado – no satisfizo el llamado de los *míos* –,
«ahora», con*migo, de pie*. El huracán del *re*clamo[39] de *mis* ancestros
no me secuestró. *En* el *dormitorio* de «los muertos» *mi abuela*
dormita y mi tatar*abuela Nicolasa ronca* hondo. La tiniebla de *la*
actual externa *noche in*terna rodea a *mi* «*vigilante*» vigilia pregonera
de la otra tiniebla – *más* profunda, *más* oscura –[40].

La naturaleza, neciente tramoya de amor destructor, *me* confiere la 20
vida para quitár*me*la[41] ; *en* la opacidad de «su» haz *y en* el haz de
«su» opacidad, *no* sabe que *no* sabe: *Nicolasa* ama (desama) al amado
(desamado). Ella: *noche*. Ella: *abuela*. Ella: el *re*gazo de *la* Madre de
la omnimadre.

La noche de *la noche* de *Nicolasa – nocheabuela –* «envuelve»[42] 21
mis ancestros, *mi in*fancia, *mi sueño, mi* vigilia.

En la nocheabuela, la abrupta ética del «yo»: *la noche* del 22
advenimiento de Cristo. ¿Cuál[43] la misión de la ética del «yo» *en* la
destrucción? Sufrir: como Él.[44]

Y, como Él, sufro. *¡No me* opitulas, *sueño! Durmiendo*, olvido la 23
dignidad de *mi* vivir: la lealtad con *mis* ancestros; *re*cordando, *no*
sucumbo a la neciencia de la naturaleza. Aunque *in*«tenté» trocar la
pecunia d*el sueño por* olvido, *me* niego a olvidar[45] : para aceptar el

115

sufrimiento, el in*somnio* del *r*ecuerdo. ¿Para anclar *y* desaparecer[46] , naturaleza, *me* adjudicas memo*r*ia*?*[47] *La nocheabuela*, momentáneamente, *me habita: soy* «su» *fortu*ito asilo.

24   He llegado *más* lejos. Conjeturo, avizor: *la terraza*, tras el *fracaso* de *mi sueño*, *es* zona de *r*etorno. ¡El origen – *Jeová-Nicolasa* – *me* esportea al origen del origen*!* Pre«tendiendo» llegar a *la* Madre primigenia – *la abuela* primigenia –, abarco mucho *más*. ¡Sorpresa de sorpresas*!*: «yo», *tan* pequeño, *tan chiquitirrito*, *más* grande *que* lo *más* grande, *soy* «su» *casa: habitado por* el oleaje[48] de vastedad, *en* las entrañas *y en* la corteza de *mi* cuerpo *y* de *mi* alma, *soy*, *r*ega(la)ndo*inv*adiéndo*me*, *la noche* de *la noche* de *la noche*[49] – *nocheabuela: Noche*«buena» –.

25   El origen del cosmos *no* sabe que sabe; el origen del origen del cosmos sabe *y no* sabe que sabe.

26   ¡Sin ancestros*!* *Soy mis* ancestros. *Soy* el multiverso, sin proemio. *Soy* el proemio[50] . La apariencia[51] del suceder: un objeto *más*[52] *en* el «bulto» del origen del origen. Todo está «muerto» *y*, porque está «muerto», está vivo *y duerme: en* ese *dormir*, el *sueño*. ¿Mi *dormir*: cabecear*?* Mi abuela dormita. La abuela de *mi* abuela duerme. Y «yo» *duermo más* profundamente[53] : *dormir tan a plomo es* estar despierto: percibir*me* «aquí», *en la terraza*[54] .

*Me rie*go: *soy* el *agua* que *me rie*ga: *soy* el *agua y* la *cibera*: la   27
noche y la abuela: la quietud de la *chiquita irritación*[55] : el *abuelo* de
dos[56] nietos adarvantemente porfiados – *Jeová y Nicolasa* –: *dos*
maldadosos que tratan de fascinar*me* con «su» *chiqui*llada *y* «su»
nimiedad: "«Déjanos» divertirnos, *abuelito*[57] . *¡No* a la cama! – *no* al
panteón –. ¡El juego nos conquista! «Déjate» conquistar *por* nosotros.
No te *irrites* con nuestra *irritación.* ¡Diviértete con nosotros! Tú, origen
del origen del origen, *sé*, tal «el sol»[58], «un compañero»[59] de juego."

En la terraza – en esa apertura[60] cósmica –, la *Tierra*: un objeto   28
más, guarida de otro *más*[61] *chiquitirrito*: Geová[62] .

Dormir es para despertar: el *fracaso* – el triunfo – de *dormir es*   29
despertar. *De pie*: la corona d*el sueño*: *el* gran *sueño*, al que llego *por*
el en-sueño. Despertar: *el* gran *sueño*: *dormir el sueño* de la vigilia de
la vigilia – vivir –: tumbado, *de pie*, sin izquierda, ni derecha, ni arriba,
ni abajo[63] : *soñar el sueño*: la vida *y* la «muerte», *dos* pilletes
contumaces, «se» *irritan* al *re*cordarles que deben suspender el juego
e ir«se» a acostar[64] .

La *fortuna* vino a *visitarme.* ¿A*fortuna*damente? Ay, una *visita*,   30
de facto, viene *y* «se» *va* – «se» (*Jeo*)*va* –: he *re*gresado[65],
arbitrariamente, a «los muertos», al origen del origen. Cuando la

visita «se» escabulla, lastrará, *en* «su» arbitrario «bulto», el *aguacibera*. Estaré, *en la* tenebrosa *terraza* del mediodía *y de la* media*noche, desolado: en la* oscuridad de *la noche* de «aquí», a*fortuna*damente *no tan* oscura, ni *tan chiquitirrita*, como la de *la noche* de *la noche*.

31   *En* «mí» yace *mi abuela; en* ella, «su» *abuela. En mi sueño* yace *el sueño* de *mi abuela, en* que yace *el sueño* de la «suya».

32   La *visita* «se» escabulle: «los muertos», a «su» *noser*. «Yo», un caduco *sueño* de *mi* nieto: ¡último (siempre penúltimo) eslabón, con *mis* «ante»*pasados*, para hacerlos vivir con*migo!* Estar *en la* realidad *es* estar *en la* vigilia d*el sueño*: con satisfecha insatisfacción, *en* el vivo«muerto» *y* «muerto»vivo laberinto[66], *soy* viva«muerta» *y* «muerta»viva *cibera* regada *por* el *agua* del *noser*.[67]

33   «Yo» – despierto – *dormito y duermo. Nicolasa duerme a plomo en el sueño* de «su» nieta – *mi abuela* –. Estoy pesante«vertical»profundamente despierto: *de pie, a plomo*[68].

34   *En la* tiniebla que «se» sabe *y no* «se» sabe, *habitada por la noche y* el día: el poema termina – comienza –[69] *en la noche: en la* oscuridad *habitada por* la primigenia oscuridad de *la noche* en que *habita la abuela* de las *abuelas*.

35   La nada *sueña* «su» nexo conyugal: un «punto» de «impregnación»:

nuestro *abuelo, Jeová –* el impulso creador –, «impregna»[70] a nuestra *abuela, la noche*: la decisión a *ser, en* el esperma, *y* la aquiescencia, *en* el óvulo.

A veces, mientras *duerme,* la nada *sueña*: brotan el *ser y, en* éste, 36 el cosmos: el *abuelo* de *Jeová* mueve el aliento de «impregnación». *En la* duración, la ex«tensión»; *en* ésta, el multiverso. *Somos* elementos d*el sueño* de la nada: «algo» de nada: *chiquitirrita* nada de la nada[71] .

El poeta: la voz del multiverso. Del multiverso, que, elemento 37 d*el sueño* de la nada, «se» *in*stala *en la terraza – en la* durable ex«tensión» – a *re*flexionar – a cavilar«se» –[72] : está – «se» sabe sin saber«se» – *en* el *ser*: nada *en* nada: sustancia d*el sueño* de la nada, *in*formándo«se»[73] : *sueño* que *sueña*vigila: *dormidos sueños despiertos en* que yacen *dormidos sueños* despiertos *en* que ya- cen *dormidos sueños* despiertos *en* que...: «espejos» que «se» enfrentan[74] . Al igual que nosotros, nuestros *sueños sueñan,* despiertan, *sueñan*despiertan. La *re*lación entre la nada que nos *sueña y* nosotros, al igual que la *re*lación entre nosotros *y* nuestros *sueños*: la nada sabe de «su» *sueño,* al igual que «yo» sé d*el mío.* La nada *sueña; a veces* – al igual que «yo» –, *re*cuerda «sus» *sueños; a veces,* los olvida. *Re*cordados u olvidados, los *sueños son: soy* un *sueño* que la nada olvidó, *y* que pugna *por* rescate. «Yo», sin «responsa»bilidad[75] de *mis* sueños – al igual que la nada, sin «responsa»bilidad de los «suyos» –, *sueño y sueño. Y* la nada *sueña y sueña. Soy* uno de los innumerables *sueños* de la nada, un olvidado *sueño* que insiste en *re*cobrar a «su» *soñador*: arbitrariamente gestado *y* arbitrariamente cortado del cordón umbilical de *la noche*[76] , brego *por re*«atar»*me* al cordón[77] , para que *la noche me* vuelva a *soñar*: arbitrariamente *re*greso[78] de padre a padre, de *abuelo* a *abuelo*. La arbitrariedad: la ley. ¿Cuál la ley de la ley? ¿Y cuál[79] la ley de la ley de la ley? ¡La arbitrariedad: chozna! ¡«Espejos» enfrentados![80] La arbitrariedad, la nada *y* el *ser* de la nada, arbitrariamente, *sueñan*, despiertan *y* persiguen «su» cordón umbilical.[81]

38 *El sueño*, mientras lo *sueño*, infin*ita*mente *mío*; al despertar, infin*ita*mente *mío* e infin*ita*mente vacante.[82] ¡Avecinarlo![83] Si *me* llama, ¡saber que *me* llama! ¡Conciliando vínculo *y* espontánea concepción, atrapar, desde la vigilia, *el sueño y*, desde *el sueño*, la vigilia: la infin*ita* distancia que *no* «se» aparta de «mí», la distancia que *no es* distancia! ¿*Me* extirparon del cordón umbilical? ¡Lo *soñé*! ¡«El horizonte» – trofeo –, *en mis* manos![84] *No* «tener» acceso a *mis sueños es* otro *sueño*: pesadilla (*plúmbea*dilla) – «ahora» la *re*cuerdo *y*, probablemente, la olvidaré – que – *sueño mío* – luchará *por* capturar*me*. Lo creado crea. Arbitrario – o arbitrariamente inarbitrario –

enfrentamiento de «espejos», que *habita* arbitrario – o arbitrariamente inarbitrario – enfrentamiento de «espejos»[85].

Heterogéneas abismales grutas oníricas: la d*el sueño* «normal», la d*el* 39 *sueño* de los conocidos que *ya no* están; la d*el sueño* de «los muertos» de *mis* «muertos», encubiertamente conocidos; la d*el sueño* de «los muertos» de «los muertos» de «los muertos»... *El soñar* de *mi abuela* – *más* profundo *que el mío* –, mero cabecear, comparado con *el* de la «suya». *El sueño* de *la* omnimadre*abuela,* aun *más*[86] profundo: «se» agiganta el abismo de *la terraza,* a«trayendo» *la sangre* hacia «su» profundidad[87]: un *soñar* que absorbe los *sueños*: un *soñar* intemporal que absorbe los *sueños* que duran.

La humedad – la vitalidad – de *mi sueño,* «menor» *que* la humedad 40 – la vitalidad – d*el sueño* de *mis* «muertos» contiguos; *y* la de éstos, «menor» *que* la oceánica charcal[88] humedad de *Nicolasa.* La humedad que *regó la noche* del caos[89] – *aguacibera* absoluta – *me* humedece: esta profundidad húmeda (*y* humedad profunda) *me* *rie*ga a «mí» *y* a las *abuelas,* absorbiendo la cadena: «espejo» que *re*fleja todo[90]: *aguacibera* que *rie*ga la «sequedad» de la nada: *aguacibera* del *aguacibera. En* el abismo de *aguacibera* absoluta, *mi* abismo: una *terraza.*

121

41   *Mi sueño*, corporalmente, un estar *de pie*: un tras*nochar in*quiridor. *El sueño* de *mis* «muertos» contiguos, un estar arrellanado. *El sueño* de *Nicolasa*, un estar acostado. *El sueño* de la nada, cuerpo sin cuerpo, ni *de pie*, ni arrellanado, ni «tendido»: un estar. *Mi agua*, una con la incorpórea forma sin forma, «se» mece *en la* jarra – *en la terraza* – de *mi* cuerpo; el *agua* de *mis* «ante»*pasados, en la* jarra multiversal; el *agua* de *Nicolasa, en la* jarra sin jarra de la nada. La materia *y* la vida, *en* durable jarra ex«tensa» que «se» mece *en* jarra sin jarra[91]. El «mar» de la vida: urca *en* el océano de la nada. *La nocheabuela* navega *en* ese océano[92]. La vital humedad: un tamo de «sequedad» de la nada. *En Nicolasa*, el comienzo de la vida *y* el primer signo humano.

42   ¡Oh *aguacibera* absoluta, *riegas* «aquello» que provocó aquel comienzo! *En la* urdimbre inerte de *la nocheabuela*, el *aguacibera*: *soy* uno con*migo*, con *mi abuela,* con *Nicolasa*: uno con lo que engendró, con lo que mojó las semillas de la *tierra* de la nada, con el origen del origen de la vida, con la voluntad de vivir[93], con el origen de «esa» voluntad, con el *aguacibera*, con *la abuela* de las *abuelas* (quien, a*fortuna*da *y* desa*fortuna*damente, *cuenta* con *abuela*). Uno con la húmeda arbitrariedad profunda. Uno con los *abuelos* de *Jeová*. Uno con el arbitrario *abuelo* del *abuelo* de *Jeová*. «Espejo» *en* «espejos» enfrentados, uno con el matrimonio de ubérrimos «espejos»[94]. ¡Lo

fontalmente supremo: chozno! El origen, al igual que el origen del origen, al igual que el origen del origen del origen: chozno. La conciencia de la «ciencia» *cuenta* con *abuelos*. Toda solución *cuenta* con *abuelos*. La unidad: producto de dualidad. La dualidad, producto de unidad dual, *cuenta* con *abuelos*. Uno proviene de *dos*. *Dos es* – «Di-os» – uno que proviene de *dos*[95].

En "Schabat" soy «mi madre»[96]; *en "Aguacibera", mi buena*mala 43 *abuela*. «Yo»: usuario *y* mártir de la *bondadosa* iniquidad de la naturaleza[97]. «Yo», *mi abuela, mi* tatar*abuela*: nietecillos de *la* gran *nocheabuela* que ofrenda*priva y* privaofrenda. *En* «mí» *la* Vieja *Visitante* Pascuera *y* el *rega*(la)do niño. El cimiento forjador – simiente[98] –, *chiqui*lín *regalón y* mártir, da-«se»-da-sufre[99] *y* roba-«se»-roba-alegra: también *cuenta* con *abuela*: también *imita. Y* el *abuelo* del cimiento forjador – simiente –, *chiqui*lín *regalón y* mártir...[100] ¡Un lance de «espejos» que «se» enfrentan![101]

Jeová: el semen *en la* ovular *Nicolasa*: el *agua* que *riega y* fecunda 44 la *cibera*.

Dualidad[102] de *agua y cibera*, de *noche y abuela*, de *Jeo y va.* 45

Y el óvulo, pascual. 46

123

VIII

NOAILLES

¿Un lirio de relámpagos? ¿Un dátil

de sed?

¡Oh, sí, condesa:

pase usted!

Qué gentileza

la suya: ¡haber venido

a mi salón prohibido,

ahora! Aguarde, pues,

a que la limpie de su perlachés.

No se merece, juvenilversátil

Ana,

que la vean así por la mañana.

a que la lim pie de su per la chés.

No se me re ce, ju ve nil ver sá til

A na,

que la ve a na sí por la ma ña na.

Un llamado[1] a la esencia *de* la *condesa* de *Noailles*[2] .

¿«Ante» mí *un* frágil incendio esbelto: *un* silbo *de* luz: *relámpagos*, *no* pétalos*?* ¿*Un dátil* cuya pulpa es *de sed*: *un dátil* que, saciándo*se*, sacia: *un dátil de* curiosidad y deseo, que *se* sabe seco y, para *da*r frescura, mendiga humedad[3] : *un dátil* que fluye *sed?* ¿*Un lirio de* cólera*?* ¿*Un dátil* empecinado en ser mordido, *un* turno más, *por* el tiempo*?* *Lirio* y *dátil:* la *condesa*, ejemplarmente, arrogante modestia y modesta arrogancia. *¡Qué* dis«tracción» *la* mía, *condesa: pase usted!*[4]

Oh, sí, con...: oh-sí-con...: hocicón: la tarasca – la rencorosa dentadura – de la calavera: fantasmal *juventud* que disimula[5] , aún[6], *su* deterioro – *su* acabamiento –. ¿Muerta? Viva en latencia: la aptitud para vivir sus«tenta» la muerte[7] .

Como quien recibe *un lirio* y *l*o hace *pasar a*l (*l*o pondrá en el) búcaro, o *un dátil*, *a* la (en la) bandeja, recibo esta flor-eciente fogata primicial que perfuma e «ilumina»[8] , y *la* hago *pasar a*l *salón de mi* mundo, *prohibido,* para ella, como, para mí, el polvoriento *salón* en donde ella «habita»[9] . Me asombran *su* presencia y la misteriosa *gentileza* – la misteriosa compasiva audacia – de *venir a* «visitarme»[10] .

... / *ahora!*: presente intemporal[11] . Ella asistió (*a*portadora asistencia)[12] *a los salones* de «ayer»[13] . *La* sorprendo en el umbral *de mi salón, ahora salón prohibido* para ambos. ¡Fuimos enterrados, en Père Lachaise – *perlachés* –, el cinco de «mayo» de milnovecientostreintaitrés! *Ahora hemos* resucit*ado – venido –*. El poeta (y el lector) *se* zafa de la fijación en el espacio y en el tiempo[14] : *"¡Oh, sí, condesa:/pase usted!"*

6 Ella – como quien, tras *su* labor cotidiana, *no* repara, *por* negligencia, en el desaliño *de su* ropa –, cubierta *de su* escoria sepulcral. La *condesa – versatilidad* (savia reacia a la ruina *de* la muerte) *y juventud*: legítimo donaire – *no merece* mostrar*se* tal *un* vaho cinéreo.

7 *Ana se ha* vest*ido* adecuadamente – ¿«mayor»[15] garbo?: *su* atuendo, rayos *de* sol –: me «parece», *no viéndola*, abrigada *por su* raída y sucia mortaja[16] (y *por* la sucia y raída mortaja *de la mañana*).

8 El poema: el sempiterno hacer*la pasar*. El nombre de ella – el penúltimo *vers*o –: *Ana*, entre «dos» pausas: *un* estar entre «dos» *no*estares[17] : ella – el poema del poema – *viene* del silencio y retornará[18] *al* silencio[19] . Y *un* doble homenaje: a ella – "*usted* forma parte *de* «aquí»" –, *dá*ndole envergadura a la «histórica» estada de Anna de *Noailles* en la Tierra; y a la lengua castell*ana – Ana* en *su*

perlachés –, *dá*ndole envergadura a la «histórica» estada de la lengua castell*ana* en la Tierra.

"*...la vean así por la mañana*": *lavé a Ana, sí, por la mañana*: 9 «trayendo» – *pasando* – a *Ana a la* luz del poema (*a la* luz de ella), *la limpié, así, de*l lúgubre polvo.

"*...vean así por la mañana*": "*vea: nací por la mañana*": *nací* 10 hace *un relámpago* y *por un relámpago*[20] : infatigable *nacer* –*joven* – para *an*-imar *la mañana, da*ndo, conmigo, *nacimiento* a *la* verdadera *mañana*.

Del entusiasta *¡Oh, sí...!*, que *la* recibe, al doloroso *así, de* despedida: 11 sonoramente – *ó sí, así* – y conceptualmente, del esplendor al detrito[21] .

Las tertulias, *por* lo general, vespertinas; las más elegantes, 12 nocturnas. La disposición *de Ana: la mañana ha venido a una fiesta nocturna: Ana* convierte la suaré en matiné: *po*rtadora[22] *de un* sol intemporal, ilumina *la* luz: viste[23] *de* fiesta *la mañana* y la noche terrestres.

...mañana: mañ-Ana: ella adorna *la* multive*rs*al *mañana*. 13

IX

Cuando, de vez en noche...

Cuando, de vez en noche, soy real,

sobre el teclado azul de mi estandarte

aúlla el horizonte, vertical.

Piano del mundo, déjame afinarte.

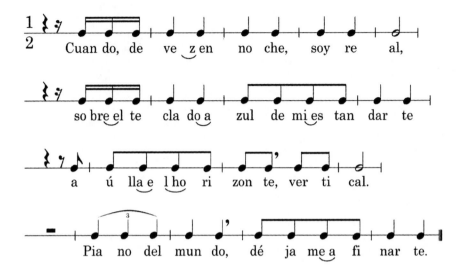

Cuan do, de ve z en no che, soy re al,

so bre el te cla do a zul de mi es tan dar te

a ú lla e l ho ri zon te, ver ti cal.

Pia no del mun do, dé ja me a fi nar te.

Cuando, de vez en noche...: pirueta con la locución "*de vez en* 1
cuando": [*en* la] *noche, de vez en cuando... En* la oscuridad estoy
– no *soy* –. Maguer, adventicio, *soy mi* «yo»: viso *en* la oscuridad.
¿Más oscuro *el* – este – *mundo*? Más claridad. ¿Más penal? Más sé
– para «comprender»[1] la *real realidad,* para tocar *el real* éter – qué
es libertad.

El día *es noche: en* los oscuros tramos *de*l día – desespera- 2
ción «ante» lo conocido (*en*igma) y lo desconocido –, *en*amoro la
verdad.

El espacio: *en el real* espacio. *El real* éter: inespacial. Lo visible 3
«habita»[2] *en* lo invisible[3].

Tremolando desde el asta *de mi* cuerpo, el *estandarte de mi* men- 4
te «se» azacana por la *real* – ilimitada – *realidad. Mi estandarte,
cuando* oprime *el teclado del real* éter, plasma *reales* sonidos. *El
real* éter: *mi piano real.*

El horizonte – limitación *en* la vida –, oscuro *en* la oscuridad, *aú-* 5
lla – *en*conado –, *vertical* a través *mío, cuando* toco *en el real* firma-
mento.

Los *reales* sonidos pa«tenti»zan[4] la des-*afinación de*l *piano de*l 6
mundo. La *verticalidad* [5] *del horizonte real* hace «cruz»[6] con la
horizontalidad del horizonte[7] aparente[8] .

7   Le suplico a Dios – rebelde instrumento des-*afinado* (*mundo en desorden*) – que *me deje*, sin *aullar* – que no perturbe *mi* próvida (*mi* luminosa) inclinación a –, *afinar*lo – ordenarlo, iluminarlo –.

8   *Piano:* vocablo «crucial»[9] con la única *pe* del poema. La altura «*pía*» *en* la primera sílaba; *en* la segunda, *el* planeta «se» niega a resonar – *no* –. La *a* tónica es reforzada por la tonicidad de *a en* las rimas de los cuatro versos (-*al, -arte, -al, -arte*). La secuencia vocálica de *piano* – *ia/o* –, *en* la sílaba que inicia el último verso, casi coincide con la secuencia vocálica de *cuando* – *ua/o* –, que inicia el primer verso.

9   ...*m[undo, dé-]*: presagiado por *C[uando, de]*.

142

X

PARUSÍA

Permanezco

sobre las aguas del atardecer,

sí, sobre las aguas

del atardecer.

Tú, que no crees,

me desprecias

con tus excelsas

mandíbulas

desdentadas.

Y la brisa,

que no nos advierte

(ni nos advertirá), celebra nuestros

cabellos

en el navío del atardecer.

des den ta das.

Y la bri sa,

que no no s ad vier te

(ni no s ad ver ti rá), ce le bra nues tros

ca be llos

e n el na ví o de l a tar de cer.

Jesucristo y la *nav*-e[1] (*el* poeta *del* poeta[2]): monodia. *El* 1
Camino[3] camina, sin caminar, por camino incaminable. *No, en* un
instante, *sobre aguas de* un «mar». *Sobre las aguas* eternas *del*
eterno *atardecer*: la «vida» (humedad[4]), luz extenuada, hacia la
noche. *Permanezco sobre* lo *que no permanece*: inmovilidad[5]
permanente sobre lo *que* resbala – movilidad *del* «vivir» – hacia
las fauces devoradoras[6]. «Yo», sedentario, intemporal, paseo por
la ruta *del* tiempo. Él (*con*«migo»), estático, «avanza». *Las aguas*
– galaxias, espacio, duración – «se» mueven hacia ningún sitio[7].

... / *sí, sobre las aguas / del atardecer*: certidumbre: vehemente *sí* 2
contra cinco átonas negaciones[8]: *que NO crees, me DESprecias,*
mandíbulas / DESdentadas, que NO nos advierte / (NI nos
advertirá).

El poeta «se habla»: «mi» *con*ciencia, a «mi» soma: «mi» *con*ciencia 3
intemporal, a «mi» *con*ciencia temporal[9].

«Mi» *con*ciencia temporal aparece y *des*aparece «aquí»[10] – la 4
estación (las estaciones) *no* «comprende» (*no* «*com*prenden») a*l* tren
que parte sin partir[11] –; *desprecia* – degrada –, *des*hilvanándo«se», lo *que*
no ha de experimentar: alardea de sus macizos *dientes* – la débil *excelsitud*
de las débiles *mandíbulas* –, hiperbórea de las huérfanas encías y más
hiperbórea – más *tarde* – de la invasora risa pétrea[12].

5   *La* agitación, externa e interna, *no* «se» sabe: pasea por lo con*ciente y lo inc*on*ciente*[13] . *La brisa* agita los *cabellos del* hombre «vivo» – potencial cadáver[14] – *con* la mesura *con que* agita los *del* hombre «muerto»[15] .

6   Lo imperecedero – *des*pabilado cetro[16] *de* Jesucristo y *del* poeta – *advierte* lo *que la brisa no advierte ni* – ¡nunca! – *advertirá*.

7   *La brisa en* los *cabellos*: como quien cimbra una criatura, *celebrándo*la. *En el* multiverso – *navío*[17], en *des*trucción, *de des*-trucción –, *la brisa* retoza *en* «mis» *cabellos*, como retozó *en* los *cabellos del* Hombre.

8   *La* ofensiva «amable»[18] (*que no me advierte*) – *la* indiferencia[19] *de la* energía[20] , hacia todo y hacia nada –, *con* la misma fuerza *que* «yo» (*que la advierte*): *ni* vencidos, *ni* vencedores, *en* los platillos *de* la balanza, el movimiento inmóvil y la inmovilidad activa[21] «se» *celebran*.

9   El poema: *celebración de la brisa* – *que no nos* (*no* «se») *advierte* e ignora *que nos* («se») *celebra* – y de *nuestros cabellos* – *que* «se» ignoran –: lo eternamente *permanente* – cohesión imperecedera[22] –, *que* «se» sabe, *celebra* a lo eternamente perecedero – disgregación eterna –, *que no* «se» sabe.[23]

Y «mi» – *nuestro* – poema *celebra* – Jesucristo y «yo» 10
celebramos – a lo *que no* sabe *que me celebra* – a lo *que no* sabe
que nos celebra –.

Absurda eres, sin ser, balanza *de* nada, *con tu* platillo *de* 11
in*co*nciente nada *que* «se» disgrega y *tu* platillo *de co*nciente nada
que «se» *permanece*: lógica e irrefutable locura[24] *de* existencia
inexistente – *permanencia que no permanece* – e inexistencia
existente[25] – im*permanencia que permanece* –: ¡*parusía*!

XI

MEDALLÓN

—¡Tríncame el sable y el espejo!... ¡Bravo!

¡Acelera el motor, pedo de cabo!

¿No se me olvida nada? ¡Mueve el rabo!

— Acuérdese, mi cococomandante,

tan impopoportante

en su unifofofofoforme nuevo,

que no hace mucho (como yo) fue un huevo.

ME DA LLÓN

– ¡Trín ca me el sa ble y e l es pe jo!... ¡Bra vo!

¡A ce le ra el mo tor, pe do de ca bo!

¿No se me ol vi da na da? ¡Mue ve el ra bo!

– A cuér de se, mi co co co man dan te,

ta n im po po por tan te

en su u ni fo fo fo fo for me nue vo,

que no ha ce mu cho (co mo yo) fue un hue vo.

Cada hombre[1] imprime, *en* el círculo de la vida, el blasón de *su ser.*   1

Un comandante y un cabo, dialogando, aquilatan *su* taladro íntimo   2
– graban *un medallón* –.

El sable: *el* oficio que el *comandante*, con orgullo, cincela: baldar   3
para escamotear. Muertomuerto, *en*frentándo*se* – a*l espejo*[2] : "¡Filón
marcial*! ¡Bravo!*", *y* (henchido, olímpico) a*l* subordinado, a ese
*ca*chivache, *pedo de cabo*, para que *acelere el motor*: "Te has
esmerado, cretino, *en* apoderarte d*el sable y el espejo,* para
ofrecér*me*los: ¡héroe a tu *med*-ida*!*"–.

"*¡Bravo!*" «condecora» a*l cab*-a*l cabo*[3] con cualidades «inadvertidas»[4]   4
por el *comandante.* Bajo el trato – *como* a *un pe*rro – del superior, el
cabo discurre: "*Soy un pe*rro, *de* veras, *bravo* – feroz –: ¡ducho *en*
triturar*!*" Pese a *su* inhibición, el *cabo es bravo* – atrevido –.

En los cimeros broches, el *comandante*: "*¿No se me olvida nada?*"   5
Y el *cabo*: "La condición humana, eso *es* todo."

"*¡Mueve el rabo!*", impreca el *comandante*, persuadido de que el   6
*cabo, pe*rro privilegiado por servir a *form*idable amo, saltará, *moviendo
el rabo*, a complacerlo.

– *Acuérdese...* /... /... / *que...*: coloquial amedrentador *acuérdese*   7
[de] *que*[5] .

159

8   *En* las sílabas que, tartamudeadas con aprensión, *rebo*tan el insulto – *pedo de cabo* – *se* agazapan salvajes traseros – *raberos* – eufemismos (*impopòportante*, con el chilenismo *popó* – trasero –) que escarnecen el *fanfa*rrón *comando* – "*¡Mueve el rabo!*" –: "*Yo, un* meñique fútil hedor; «usté»[6], *mi comandante, un en-orme* – *en unifofofofoforme* – *importante* – *n-uevo* (*m-ueve*) – hedor pre-«tencioso»": ...*fòfofòfofór*... concierne al ludismo chileno que reta a *un* niño que ha ventoseado: "*fofofofofó, ¿*quién *se* lo «tiró»?" (¿quién disparó?). La aldaba – el arma *de* repetición – *de* la conciencia golpea *en* – dispara («tira») a – la puerta de la política. Las dos primeras, las tres nucleares *y* las dos últimas sílabas del quinto verso – *tàn* im[*popòpor*]*tánte* –, inflan – inyección de gas – la moldura militar; *en* el verso siguiente, el taimado *fo* – que duplica *fofo* (flácido) –, con onomatopéyica *f*: *ffff*

fò fo fò fo (*fór*...),

la desinfla. ¡El estricto grosor chocarrero! Además, divergencia: "*Es* «usté», *mi comandante*, quien *se* lo «tiró»: transijo *en mover el rabo*, pero «usté», güin, *mueva* el cerebro." *Cococomandante: coco*: bola, *huevo* (ya el título del poema – *Medallón* – insinúa guisa testicular): el vulgar vilipendio – *huevón* – del desenlace: "*Mi obiubi comandante*, «usté» acarrea el cerebro *en* los testículos."

*

  * *

Simetría estructural: el *comandante – de* (*bravo*) *cabo* a *rabo –*   9

y el *cabo, en* estrofas triendecasílabas. *Un* heptasílabo – *tàn*

im(popò)portánte – interfiere *en* la estrofa del *cabo*: recordatorio

– *acordatorio –* visual*fó*nico de la ning*una importancia* de la

importancia del *mand-ón medallón.*

*

  * *

Distribución acentual: 10

El *comandante:*

1   — ¡**Trín** ca me el **sa** ble y e l es **pe** jo! . . . ¡**Bra** vo!
        1   2   3   4   5   6   7   8   9   10   11

2   ¡A ce **le** ra el mo **tor, pe** do de **ca** bo!
        1   2   3   4   5   6   7   8   9   10   11

3   ¿No se me ol **vi** da **na** da? ¡**Mue** ve el **ra** bo!
        1   2   3   4   5   6   7   8   9   10   11

El *cabo:*

4   — A **cuér** de se, mi co co co man **dan** te,
        1   2   3   4   5   6   7   8   9   10   11

5   ta n im po po por **tan** te
        1   2   3   4   5   6   7

6   en su u ni fo fo fo **for** me **nue** vo,
        1   2   3   4   5   6   7   8   9   10   11

7   que **no ha** ce **mu** cho (co mo **yo**) **fue un hue** vo.
        1   2   3   4   5   6   7   8   9   10   11

Sintomática acentuación. La estrofa del *comandante* arronza con
sílaba tónica – *Trín* – *en* verso con tonicidad *en* las sílabas cuarta y
octava, amén del obligado acento *en* la décima. El primer verso de la
estrofa del *cabo*, sólo con acento *en* la segunda sílaba y astuto
*co*scorrón *en* la sexta, aparte del acento final. El veredicto acentual del
primer verso del *comandante*, vejatorio: primera «bola» de embestidas.
El primer verso del *cabo*, temeroso. El segundo verso de la estrofa del
comandante: cuatro acentos; el segundo endecasílabo de la estrofa
del *cabo*: dos (y dos «*fosfo*rrones» *en* cuarta y sexta). Temeroso,
el *cabo* semiacentúa sutilmente las sílabas primera y cuarta del
neutralizador heptasílabo; la virulencia del obligado acento *en* la
sexta sílaba aventaja a la de los dos acentos *en* interna sexta sílaba
de la estrofa del *comandante*.

Los acentos del tercer verso del *comandante*: alternada rudeza
(*en* 4ª, 6ª, 8ª y 10ª sílabas). Los seis acentos del tercer *y* último
endecasílabo del *cabo*: titubeo (acento *en* 2ª sílaba, *no en* 1ª) *y*
valentía (acentos *en* 4ª, 6ª – semiacento –, 8ª, 9ª y 10ª sílabas): la
acumulación de sílabas tónicas descarga repulsión *y* saña. El
comandante, en el segundo verso, acentúa las sílabas sexta y sétima
– de los enfáticos *motOr* y *pEdo*: *tOrpe* y *torpEdo* –. El *cabo*
– que, inacentuando la primera sílaba de *sus* tres endecasílabos

(desfachatez *en* el semiacento de la sílaba primera del heptasílabo), man«tuvo» reserva – ensarta los tres últimos acentos del verso
final *(en* 8ª, 9ª y 10ª sílabas): con ellos, siniestros, revierte los codazos:
"*P*-u-*edo, mi comandante,* con *mi torpe torpedo...*"

13   *Co,* vacil*ante en còcocomandante, se* abastece *en* otra
semiacentuada sílaba: *cò-mo yo*: "*Comandante, somos* calaños:
proveniencia, *un* óvulo[7]. «Usté», casualmente, con seudopotestad; *yo,*
casualmente, sin."

14   Empalizada entre el *comandante y* el *cabo*: las estrofas *no* comparten
rima – AAA (*avo/abo/abo*), BB (*ante/ante*), CC (*evo/evo*) – :
recíproco desdén, aunque cada *uno es* objeto del pensamiento del
otro. Damnificador – el que ejerce despotismo – *y* damnificado – el
lesionado por ese despotismo –, *en* el *medallón* de «aquí».

*
*   *

15   El *com*-e-*d*-i-*ante* – el *comandante* –, a pique de escenario[8], pide
a *su* auxiliar – el *cabo* – que le sostenga *el espejo.* ¿El sombrero? ¿El
sable?... Prolijo: "*¿No se me olvida nada?*" El auxiliar: "*Su* bufanda,
«señor»." El *cabo*: "*Su* alma" (la del *cabo*): *se* empina, desde cauto
azoro, a la limosna de *su ser.*

Monodiálogo: *yo y yo*: «cierta» política paulatinamente soberana 16
– el *comandante* (*el sable*) – *y* verdadera conciencia – el *cabo* (*el espejo*) – *co*-artada por las reglas de aquella política: «*¡Me* ensalzo*!*: *me* engancho la ultraj*ante medalla*. Agencio privilegio: el *uniforme*. *¡Mover el rabo!* A *mi* conciente reciedumbre – *mi cabo* – le *comando*: "*¡Muévete, mi-s-er-able* (*mi ser* [*h*]*able, mi s...able*), para que *yo* continúe pavoneándo*me en* el baratillo de antivida*!*" *¡Yo* – *¿"mi" comandante?* –, hadado hombre, *en* qué *me* he tras-*form*-ado*! ¿*Lo *imp*-erativo*? Acelerar mi motor* mental: empuñar, contra *mi* deshonrosa política, *el sable* que empuño contra otros.»

El injuriado esclavo *me* previene: "*Eres*, flam*ante uniforme, un* 17
huevo que ha prosperado. Naciste *no hace mucho* (lo temporal – instantaneidad que *se* «borra» –, irrelevante[9]): morirás[10]. ¡Por *un* periquete, «aquí»: *huevo!*"

El poema – desilusionada, acre lamentación – refuta lo falazmente 18
"estético".

La nequicia, ¿juzgar*se?* «Testigo» (testículo) *abo*minable[11], el 19
comandante trasiega – dentrísimo –, *import-un*o, *imp*-lacable, *su* espej*ante* so-*fo-ca*do *cabo*.

165

XII

NICHO

¿No sabes?:

¡hoy,

mamá, encontré tus llaves!

Protegido – enseñado – por tu domo,

nadé hasta el jol central

desta argamasa

¡y descubrí quién soy!:

una avispa de grasa

que cayó, no sé cómo,

en el milagro de tu delantal.

NI CHO

¿No sa bes?:

¡hoy,

ma má, en con tré tus lla ves!

Pro te gi do – en se ña do – por tu do mo,

na dé has ta el jol cen tral

des ta ar ga ma sa

¡y des cu brí quién soy!:

u na a vis pa de gra sa

que ca yó, no sé có mo,

e n el mi la gro de tu de lan tal.

Con la muletilla *¿No sabes?* el poeta manifiesta la sublimidad 1
de su ápice.

Ser: nosaber y nosaber[1] . *Saber*: «*y*»: *un* puente entre «*dos*»[2] 2
nosaberes. El poema: *un* viaje – *un saber* – desde la estación de *un*
nosaber – *¿No sabes?* – *hasta* la estación de otro *nosaber* – *no sé*
cómo –.

Nivel filial[3] : *¿No sabes lo que sé?*: *no* logro[4] hacerte *saber*, *mamá* 3
– «*habitante*»[6] del *nicho* de la muerte –, que he *encontrado* las *llaves*
de *tus* «habitaciones» y muebles, *y* que, *hoy,* a mí – *una* «habitación»:
uno de *tus* muebles – me allanan, *en el nicho* de la vida, «entrada» *y*
«salida» libres. ¡Llegar a ti*!*: ¡conmigo las *llaves* del *nicho* de la vida*!*:
si logro hacértelo *saber*, ¿abrirás el *nicho* de la muerte con *tus* recientes
llaves?

Amar: *enseñar* a *enseñar*se – a adiestrarse *y* a examinarse –. 4
Ama-estro, *mamá, tu domo*: la cúpula con que me *enseñaste* a
subyugar el miedo. *Avispado* – con perspicacia –, me emplazo,
operándome – incrustando el bisturí *en el jol*[7] *central* (punto «clave»
de reunión, que connota otros *joles* secundarios)[8] –, para
restaurarme.

Nivel materno[9] : *¿No sabes?*: *en el nicho* de la vida, *no* logro 5
hacerte *saber* lo que *sé*; tú, *en el* de la muerte, *no* logras hacerme

173

saber lo que *sabes*. «Yo», con las *llaves* del *nicho* de la vida, *mamá*, para *encontrar*te, *¿y* tú, con las *llaves* del *nicho* de la muerte, para *encontrar*me*? ¿De qué manera *una* alianza*?*: ésa la angustia.

6 *¿No sabes?* – coloquial *¿sabes* o *no sabes?* – «impregna»[10] a *no sé cómo: sé y no sé cómo*[11]: ése el vértigo.

7   *Hoy descubrí, mamá,* que *soy una avispa de grasa en tu delantal*: la virtual alegría de *ser una avispa de grasa en tu* sudario. *Grasa* de ternura: mancha nítida, enjundia eternamente vivamuerta[12], *avispa* eternamente «ufana»[13]. Lo exterior *es* lo interior: «yo», *en tu* vientre, para arramblar *tu delantal. Nadé en el* «mar» amniótico para *nadar en el* «mar» cósmico: *hoy* me propongo *nada-r* – «cruzando»[14] la *nada* – en el «mar» verdadero. *Tu protección*[15] – *tu enseñanza* –, *mamá*: el *domo* – la sensatez, la verticalidad[16] «firme»[17] – para *esta* vicisitud *de* «ida»*-y-*«regreso».

8 *El jol central*: el centro – la trinchera – *de* hospitalidad *deste (de este)* nido elaborado con la mezcla – el cariño – *de* cal, arena *y* llanto: *soy* mejunje *desta (de esta) argamasa.* «Regreso»[18], *mamá,* a*l jol central de tu* cuerpo. *Soy una* satélite *nadadora avispa de grasa*: girovuelo, por *el* aéreo «mar» *de* la realidad, para volar*nadar* por *el* cielo«mar» – regazo – *de tu delantal. No sé cómo* vine a ti. *Sé* que anhelo volver a *caer en el milagro* que *eres*[19]: rozarte *es milagro.* Tú,

mi *nicho* – mi nido –, me *anichas* – me anidas –. *Caí*: cual *una* de las salpicaduras *que caían en tu delantal*, cuando cocinabas para *tu* tribu. Hito *de* la salpicadura *de una* gota *de* aceite, la sartén. *No* así. «Yo», *avispada* salpicadura, por hito la sartén *de*l orbe. *No* así, tampoco. Tú, tranquila diligencia – pronóstico *de*l activo reposo *en el no*tiempo –, *no* terciaste *en el* albur *de* la salpicadura. «Yo»: *una* mancha *de grasa en el* empíreo *delantal* – *una* inmundicia *de* perfección *en* la perfección radiante[20] –: *una* ínfima galaxia untosa *en el delantal de tu* multiverso doméstico: *una* mucosidad *en el* pañuelo *de* Jesucristo. *No* retoño *de tu* carne *y de tus* huesos. ¡Retoño *de* lo que te *protegía* – *tu delantal* –, mi pizca[21] *de grasa protectora!* Si hubieras estado desnuda, *mamá*, esa nocible *grasa* habría *caído en tu* piel. Te escudabas de mi amor. «Yo», del *tuyo*. ¡Iluminar el *nicho* con la perseverante prisión luminosa! Esgrimías la *llave de*l reloj *de*l tiempo. ¿Esgrimes *hoy* la *llave de*l reloj *de*l *no*tiempo? Me he *encontrado*, pero, si *no* llego a ti, ¡*no* me *encontraré!*

El hijo brinda a la madre, dentro del vientre *y*, «luego»[22], *en el* 9 regazo[23] *cubierto por* el *delantal*, la comezón lacerante del bloque laborioso. La madre se *protege* para *proteger* la hialina emancipación del hijo.

175

10   Ah el epacmo de introducir perfección *en* la perfección[24] .

11   Bastión contra la momentaneidad espacial, la madre – a diferencia de Jeová *y* su cónyuge[25] –, prudente dulzura, perita custodia. La realidad, reprochable; *no tú, mamá.* La realidad: arbitrario[26] dédalo[27] ; tú: lícita serenidad. Tú, impoluta vidamuerte, *y* «yo», *en* la realidad, *hoy, una* basurilla viva.

12   *Tu jol central*, estropicio. *No tu delantal, en* que *soy un* planeta nimbado *por* la perenne luz *tuya.*

13   Nuestro amor, *mamá*, mutuo combate para fundirnos, in«tenta» arrancar las lápidas *de* la vida *y de* la muerte, rompiendo las vallas *de*l tiempo *y de*l *no*tiempo – rotas las horas *y* la eternidad[28] –. ¿Trascendiendo lo instantáneo *y* lo «permanente», con nuestros *nichos* crearemos *un* nido: *un nicho* inespacial *en un hoy* intemporal? ¿Matando, sin arbitrariedad, lo arbitrario, usaremos las *llaves* para *no* usarlas?: ¿nos habremos *enseñado* a *no protegernos*[29] ? ¿Con «dos» *nosaberes, un saber?*[30] El amor, abriendo hacia ti mis puertas, me allana[31] *encontrar*me. Abriendo las *tuyas,* ¿me allanará *encontrar*te[32] ? ¡Las *llaves de* las *llaves!*: el amor *de*l amor. Hemos soportado la guerra *de* la vida *y de* la muerte[33] . *Hoy, mamá*, la guerra *de* la guerra.

14   *Sabes* todo, «menos *esto*» *que sé.*

¿Con tus llaves abriré *tu nicho?*: ¿otro *milagro de tu delantal?* 15

*¿*Me proveíste de las trochas para *descubrir*me*?* Si *no* anclo *en* ti,

descubriré el dolor *del* dolor: ¿ésa la coherencia *del* cariño? ¿Nunca

sabrás que me he *descubierto?* ¿Nunca *sabré cómo* vine a ti*?*

¿Encontrar tus llaves, tras anclar, *hoy, en tu nicho,* para pudrirme,

sin *saber*lo, a *tu* lado, aherrojado *por* la oscura corrupción *de* la

corrupción luminosa[34] *? ¿*Muerte *hoy? No: tu* sudario – al igual que

tu delantal –, testimonio *de* vida. Vivir *es* amar. *Y* amar *no* «tiene»

tiempo, *ni* espacio, *ni no*tiempo, *ni no*espacio: *no es.* La vida *eres* tú,

mamá: el milagro de ser sin *ser.* Tú, la palabra *de* mi palabra: *una*

sílaba – *ma* – *y* su tónica repercusión – *má* –: *ma*-gnáni-*ma*

afirmación – *m* – que se abre[35] – *a* – (centinela, con doble tonicidad,

en argaMAsa y Milagro de tu delantAl)[36].

Nicho: una «anticipación» *del no*instante *en* la posmuerte: *sé* 16
dónde «ir»: *sé cómo*[37] – cuál[38] – *es el* reino.

XIII

ONTOGENIA

Santo, para la crema, el chocolate.

Malvada, para ti, mi fantasía.

Verde, para el profeta, lo granate.

Y oscura, para mí, la luz del día.

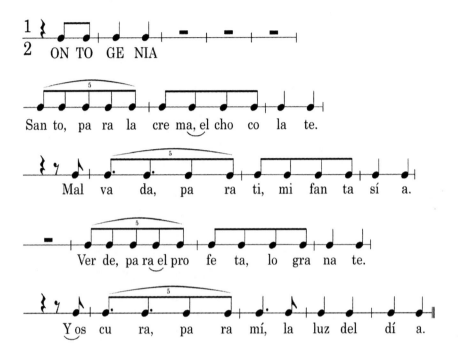

ON TO GE NIA

San to, pa ra la cre ma, el cho co la te.

Mal va da, pa ra ti, mi fan ta sí a.

Ver de, pa ra el pro fe ta, lo gra na te.

Y os cu ra, pa ra mí, la luz del dí a.

Ontogenia: desarrollo *de*l «ser»; *y* sorna: cada *uno*[1] está donde 1
está *y* «es» *lo* que «es».

«Ser» – no«ser» –, en las cuatro oraciones de la estrofa: tácita, la 2
nada:

> *El chocolate «es», para la crema, santo.*
>
> *Mi fantasía «es», para ti, malvada.*
>
> *Lo granate «es», para el profeta, verde.*
>
> *Y la luz del día «es», para mí, oscura.*

...*para*...: según deducción de *la crema*, beneficiándola; según de- 3
ducción «tuya», beneficiándote; según deducción *del profeta*, benefi-
ciándolo; *y*, según deducción *mía*, beneficiándome.

*
* *

Estratos: de *la crema*, del lector, *del profeta y* del poeta. 4

Para la crema, lo mejor (*lo santo*[2]) «es» relacionarse con *el* 5
chocolate: la óptima *par*eja[3] : *chocolate*-con-*crema*: *lo* que, *para*
mí – crema –, contribuye – me combina con *el chocolate –*, sacrifi-
cando *mi* individualidad *y* admitiendo la destrucción, a apostarme

al vasallaje del otro. Con humor, aquello que sazona *mi* rozagancia. Con dicacidad, aquello que, estimulando en el otro el arrebato por engullir, abulta[4] el riesgo de inmolación.

6   *Para* sondear la insondable caverna – oh dislate –, sondear los insondables muros, ex«tendiendo» los brazos del espíritu hacia el re-flejo[5] del «rostro»[6] del que «soy» los cogitativos labios: gozar *mi* cogitativa lengua «suya» – *crema* sobre «su» *santo chocolate* – *y* reanudar la caudalosa «di-solución» – la caudalosa *ontogenia* –.

7   Tú, lector, te exasperas con el poeta – con*migo* –: *pro*pulsas, por *mal-vada, mi fantasía*: te agobian las rampas de tormento de *mis* atisbos.

8   *Lo* que «es» *verde* – inmaduro –, *para el* ingente *profeta*, «es», *para* el gentío, *granate* – maduro –.

9   *Y* «yo», con *luz* más fuerte que *la de* la naturaleza, percibo la *oscu-ridad* de *la* temporal *luz del día*[7] . Distinguir netamente la *oscuridad* – sufrirla[8] –: *luz* en apogeo.

10   ¿Saber «es» *luz*?: con «apetito» de más *luz*, degustar *el chocolate*-con-*crema* de la bruma.

11   *Y oscura*: «yo», *oscura*: «yo» – *mi* alma –, *la luz* de *la luz del día*: «siendo» la conciencia de la noche multiversal[9], ignoro por qué «soy» conciencia, por qué «hay» conciencia; *y* ni siquiera sé qué «es ser»,

ni qué «es» conciencia, ni qué «es ser» conciencia: no sé qué «soy», ni por qué «soy». «Siendo» *luz*, sé que estoy «aquí» *y* no sé por qué. *Y* no sé por qué me pregunto por qué estoy «aquí». ¿Pues «hay» respuesta, «soy» *y*, *para* «aferrarla», estoy? ¿Por qué, «siendo yo», estar sin saberla? ¿«Es» *mi* pregunta la respuesta? ¿*Luz* en *oscuridad* – saber sin certeza – «es» penumbra[10]? Saber sin certeza «es» *oscuridad* en *oscuridad*. *¿Oscura la luz del día? Mi* claridad, más fornida – más *oscura* – que *la luz del día*. «Yo», *para mí*. *Y* «yo», *ontogénicamente, para* nada. *¿Y* nada, *para* el «ser» *de* la nada?

La crema aplaude, el lector *propulsa, el profeta* discrepa. *Y* «yo»   12 no aplaudo, ni *pro*pulso, ni, discrepando, condeno: padezco[11].

Lo rigurosamente ele-*vado*: «com-prender» que no«comprendo».   13 Poesía: «comprender» no«comprender»[12]: saber *para* nosaber[13]: sabiduría *de* intrépida ignorancia. El poema: la expresión *de u*n «miserable» sabio perro que menea *y* hostiga «el rabo»[14], *para* «ser» más sabio, *para* saber que no sabe *y*, sabiéndolo, *para* dejar de saberlo. Escepticismo escéptico. La lógica *de* la locura: saber *para* ignorar más[15]. ¿*Y* la lógica *de* la lógica? «Desafinado» instrumento[16] *de* la nada, *para* «ser» más nada: cuchara ecuménica, *para mi* sopa frugal. ¡Ea, *u*na cucharada! ¡Ea, otra! ¡*Y* otra! ¡Ning*u*na!

14   Mansa, *la crema*, con *el chocolate*. «Yo», ni manso, ni chúcaro.

15   Tú, lector, te crispas con la realidad[17] . «Yo» no.

16   *"Granate"*, estipulan. Excepto *el profeta*: *"Verde."*

17   *¿Y* «yo»? Ni *verde*, ni *granate*. *Mi luz*, rodeada por la noche sin alba, me ilumina sólo a *mí*[18] .

18   *Chocol«ate», gran«ate»*: *la crema*, en «su» intelección d*el chocolate*, y *el profeta*, en «su» *verdor* de *lo granate*, convencidos de «su» saber.

19   *Fantas«ia», d«ía»*: el lector considera tan *diáfana la luz del día*, como torturado *el fantástico día* del poeta, cuya avasalladora *luz*, sospecha, lastimar*ía* «sus» ojos.

20   Debate acentual – conceptual – en las «dos» primeras sílabas de cada verso:

$$
\begin{array}{lll}
\textit{Sánto:} & \underline{}\,\underline{} & : \textit{santo} \\
\textit{Malvá:} & \underline{}\,\underline{} & : \textit{malvada} \\
\textit{Vérde:} & \underline{}\,\underline{} & : \textit{verde} \\
\textit{Y oscú:} & \underline{}\,\underline{} & : \textit{oscura}
\end{array}
$$

21   *La crema*, el lector y *el profeta*: «tres». El poeta: *uno*[19] . Jaque rítmico de *u*na figura contra «tres»:

1 **SAn** to, pa ra la cr**E** ma, el cho co l**A** te.
  1 2 3 4 5 **6**   7   8 9 **10** 11

2 Mal v**A** da, pa ra t**I**, mi fan ta s**I** a.
  1 **2** 3 4 5 **6** 7 8 9 **10** 11

3 V**Er** de, pa ra el pro f**E** ta, lo gra n**A** te.
  1 2 3 4   5 **6** 7 8 9 **10** 11

4 Y os c**U** ra, pa ra m**I**, la l**U**z del d**I** a.
  1 **2** 3 4 5 **6** 7 **8** 9 **10** 11

Los versos primero y tercero coinciden en sus «tres» ictus (1-6-10) y en dos (6-10), de los «tres» del verso segundo. El cuarto verso coincide en acentos (2-6-10) con el segundo verso; en dos (6-10), con los versos primero y tercero – sin el primer acento de estos versos –, pero con peculiar tercer acento en su sílaba octava: *luz*. Las vocales de los versos primero y tercero: *a, e, o*; del segundo: *a, i*. Afín, en la *o* átona, a los versos primero y tercero, el cuarto emite *a, e, i, o, u* (sólo éste, *u*), y, aunque *u*no contra «tres», prevalece – de igual manera que la sílaba «*sí*», con *i* tónica, prevalece sobre las «tres» sílabas con átona *a*, de *fanta-sí-a*, en el segundo –.

Los «tres» primeros versos coinciden rítmicamente en su segundo segmento, desde la sílaba sexta:

| ´ _ _ _ ´ _ | **cre** *ma, el* *cho* *co* **la** *te*

| ´ _ _ _ ´ _ | **ti,** *mi* *fan* *ta* **sí** *a*

| ´ _ _ _ ´ _ | **fe** *ta,* *lo* *gra* **na** *te*

24 El verso cuarto quiebra la armazón

| ´ _ ´ _ ´ _ | **mí,** *la* **luz** *del* **dí** *a*

con su acento en *luz* – *ú*nico sustantivo monosílabo del poema, que
absorbe la primera *u*, tónica, del mismo verso –.

25 *Y* la clausura: *día*. La pomposa *a* tónica de la sílaba inicial de la
estrofa – *s«a»n* – remata ermitaña y átona, aplastada por la tónica *í*
de *d«í»*. Ganador, en el tetracombate – *la crema*-el lector-*el profeta*-
el poeta –, *u*n inesperado quinto contrincante – *la luz* (invicta sin esca-
ramuza) –, cautivo de *u*n sexto – *del día* –, cuyo vigor primordial «es»
la indiferencia[20]. Cuatro rivales, sobre el tablero de la Tierra, contra *u*n
quinto dominado por *u*n sexto – el tiempo – *oscuramente* engullidor[21].
¡*Luminosamente* «claro» *ontogénico* des-desarrollo!

26 Me proyecto en la pantalla *de*l «ser». «Yo» – *crema* – adopto
«cierta» política[22] . «Yo» – *mi* espectador – adopto «otra» política.
«Yo» – *profeta*: alma trasvinante – adopto «disidente» política. «Yo»
– noúmeno *de*l noúmeno – «soy». Durante el trayecto físico, adopto
(me desplazo en) «tres» posturas («tres» vehículos): la de la armonía:

para sosiego, dándome a*l chocolate*, gratifico *mi* indagar; la del arte, induciéndome a mortificación «ante» *mi* histrionismo: víctima de *mi* aventura[23]; la de la trascendencia de *lo* sensorial, captando más sagazmente «este» mundo. «Yo», sinembargo, no sólo terrícola: recinto *de* los recintos[24]: conciencia *de* la conciencia, en la *oscuridad*: ¿conciencia *para mí*? ¿Qué «esto» de soluciones – «di-soluciones» –, de «ser», de «ser» en el «ser», de pensar, de pensarme?[25] ¿*Y* por qué pensar? ¿*Para* qué pensar? ¿Aventura *de* la aventura?[26] ¿Qué «esto» de averiguarme, de requerir respuestas, de in«tentar» satisfacerme?[27] ¿Qué «es» satisfacerme? ¿*Y* por qué satisfacerme?

Lo que simula óbito «es» alumbramiento[28].   27

Me pesquiso[29] – nos pesquisamos[30] –. «Hay» respuestas que «son»   28
preguntas. Las conciencias: «la» conciencia que se de«tenta» múltiplemente: «palmario» espiar[31] en dirección[32] externa *e* interna[33], *para* «aferrar» respuesta. ¿«Yo»: «centro»[34], suma *y* esencia *de* la suma[35]? ¿«Hay» respuesta *para* toda pregunta?

Mi existir, parcial: en *u*n ángulo. *Mi* afirmación, limitada[36]: *mi*   29
pre«tensión», intrínseca pre«tensión» *de mi* pre«tensión» intrínseca. Me oriento en el laberinto: no «soy» el laberinto. «Parece ser» sin escape. No «hay» escape. *Y* el escape «parece ser» laberinto. No «hay» laberinto[37]. ¡Albricias!: el multiverso, greña demente que se ausculta. La

fábula humana: testaruda locura atesorada. El progreso – jajajá –: más meticulosa locura[38]. Moverse: nomoverse[39]. No «dos»[40] cosas el camino *y* el caminante: el caminante, porción *de*l camino, *y* el camino, como tal, no avanza, ni retrocede[41]. Estar: aspecto[42] *de*l no«ser». El espacio, en todas partes, porque en ninguna[43]. Evolución[44], involución: fenómenos estáticos. *Ontogenia:* epidermis *de*l marasmo.

*

* *

30   Crecimiento: la *malvada* multiversal *fantasía.* ¿Crecer? ¡Consumirse! La *ontogenia* «habla» a través de la «identi»ficación con el fatídico crecimiento: el poeta[45]. ¡Decrecer! La naturaleza: envejecer acérrimo. ¿*Y* la lozanía?: *para* ajamiento. Hacia atrás deriva el multiverso, *para* anularse[46]. «Comprender»[47] *y* saber: tácticas del «ser», *para* consumirse. La energía se desenergiza. Saber: desenergización que, cooperando con *mi* ímpetu a desaparecer[48], me informa[49] del exhaustivo despojo[50]. Recurso *de*l multiverso *para* eliminarse: como, en *u*n

hombre convencional – que se entera de que «su» mujer lo engaña, porque lo detesta; de la apatía de «sus» hijos, lucro de adulterio; de que «sus» amigos lo sortean; de que perjudicó a aquéllos que suponía haber apoyado –, decepción y misantropía aguijan suicidio[51]: saber configura, *para* él, disciplina *para* desintegración: "¡Inmerso en *mi* esposa y «*mis*» hijos!: fingida familia que me subestima. Sin amigos – la indumentaria de la soledad –. *Mi* plétora: valija colmada de máscaras de fraude. ¿Vivir? ¡*Fant*oche, abdica «tu» erial!" A mayor acervo, mayor justificación[52] *para* ignorar: "Entérate *para* no enterarte[53]." El cosmos se declara: "Ansío[54] desaparecer[55]." ¿*Y* crear? Surgir con la in«tención» de consumirse[56]. Amañar (me amaño) *para* desgastar (*para* desgastarme). «Ser» *para* no«ser». El «ser», *para* consumirse, crea la energía[57]. El espacio y el tiempo, inteligentestúpidas[58] canicas de la ansiedad de aunarse con la nada de la nada de la nada *de* la nada, se expanden *para* consumirse: el «ser», ansioso de no«ser». Ambición de noambición[59]. Des-prender-se del «ser». La creación: el comienzo[60] *de* la liberación. Crear: procedimiento *de* corrosión. El arbitrario[61] punto[62], en la nada, no quiere estar, ni «ser»[63] – con exactitud, dejar de no«ser» –: de ahí la división opulenta[64]. Explosión *e* implosión *y* explosión *e* implosión *y* ..., *para* anulación. ¡Nocreación! Existir: no querer existirse. «Algo», intemporal *e* inespacial, crea, *para* eliminarse, el tiempo y el espacio: la energía rastrea la desenergización[65]. La nada quiere «ser» más nada: el «ser», un medio más[66] *para* apandar la nada *de* la nada. El «ser», el «ser» *de*l «ser», el «ser» del «ser» *de*l «ser», *para* el no«ser», *para* el no«ser» *de*l no«ser», *para* el no«ser» del no«ser» *de*l no«ser». ¿Qué probaría la inexistencia? «Esto»: el plural aspecto[67] *de*l no«ser». ¿Oh el «ser»?, ¿oh la creación? ¡Oh el no«ser»!, ¡oh, deshecha, la nada, anulándose! «Soy» nada *y* codicio «ser menos» que nada. «Soy» voluntad hastiada de «ser» voluntad: codicio borrar *mi* voluntad, codicio borrar codiciar, codicio borrar borrar[68]. (El lenguaje: utensilio – en«ser»[69] – rudimentario – utensilio del utensilio – *de*l «ser».) Pensar sin pensamiento – despensar – *y* ¡sin lenguaje!

31 La conciencia: mecanismo de información[70] *para* «comprender»: vía *para* no«comprender», *y* no«comprender» *para* no«comprender» no«comprender»[71]. Saber[72]: *para* «aferrar» la ignorancia *y para* ignorar ignorar[73]. Pensar atañe a «aquí»[74]. Sinsentido del sinsentido *de*l sinsentido[75]: «algo» que se empeña en machacarse[76] – tindalizado suicidio[77] –, moliéndose, *y* persiste en henderse *y* henderse: «esto» la creación, la evolución[78]. ¿Horrendo completo caos[79] incompleto? Espléndido[80] orden *para* el caos del caos del caos *de*l caos. Nada «es» mucho. Nada *de* nada «es» aun mucho[81]. «Ser» *y* nada, adversarios,

para liberarse[82]. ¿El recinto, vacío? ¿El recinto, «ocupado»? Ni vacío, ni «ocupado». No quiero el recinto. No quiero no querer el recinto[83]. «No» pide «no».

*
* *

[En verdad,] *el chocolate* [«es»] *santo* [y ha sido creado]   32

para la crema.

[En verdad,] *el chocolate* [ha sido creado] *para la crema*

[*y*, por eso, «es»] *santo.*

[En verdad,] *mi fantasía* [«es»] *malvada* [y ha sido creada]

para ti.

[En verdad,] *mi fantasía* [ha sido creada] *para ti*

[*y*, por eso, «es»] *malvada.*

195

[En verdad,] *lo granate* [«es»] *verde* [*y* ha sido creado]

para el profeta.

[En verdad,] *lo granate* [ha sido creado] *para el profeta*

[*y*, por eso, «es»] *verde.*

Y [, en verdad,] *la luz del día* [«es»] *oscura*

[*y* ha sido creada] *para mí.*

Y [, en verdad,] *la luz del día* [ha sido creada] *para mí*

[*y*, por eso, «es»] *oscura*[84].

*

* *

33   El sentido *de* la nada: el sinsentido *de*l «ser»[85].

XIV

DE NADA

«¿Me besas?» «Te he vendido.»
Tiene sentido sólo el sinsentido.

De nada: acerca *de nada*[1] . 1

De cuanto existe – eterno presente, *de*l cual el pasado (cuanto existió), 2
lo imperante (cuanto está existiendo)[2] y el por«venir»[3] (cuanto existirá)
«son» *sólo* aspectos[4] –, *el sinsentido* «es» lo único que *tiene sentido*.

El sinsentido tiene «*sólo*» *sentido*: ni misión, ni rango: *nada*, con 3
sentido: *nada* que, como *nada*, «es».

¿Unción[5] *?*: porque *te* aborrezco. Porque *me* juro que vivas, 4
te entrego a la muerte. Porque confío en «ti», recelo *de* «ti» – *de
nada* –. ¿«Mis» *sentimientos*: *sinsentido?* «Naturalmente». Les doy
sentido, haciéndolos suceder. ¿Unción?: porque *te* amo. Cuidando
«tu» vida, porque *me* juro que vivas; dedicándo*me* a lo que *me*
sugieres, porque confío en «ti», ¿«mis» acciones: «con»*sentido?*
Artificialmente, porque no lo *tienen*. Les doy *sinsentido*, aboliendo
«mis» *sentimientos*: con *sentido*, «mis» acciones: *sin*, pues *sólo el
sinsentido*, por no *tener sentido*, lo *tiene*.

Hechos *de nada*: «somos» *nada*: no«somos». 5

*

* *

6   Diálogo en «dos»[6] direcciones:

1ª:

Cristo: – *¿Me* confiesas, *besándome,* que *has* ejecut*ado* «algo» por «mí»*?*

Judas: – *Te he vendido*[7].

Cristo: – «Gracias» por consagrar*te* a traicionar*me*: «tu» traición *me* permite redimir*te* y redimir*me*[8] . «Tu» acción, un *sinsentido,* da *sentido* a «mi» existencia y a «tu» existencia. Este pecado *te* redime *de* «tus» pecados. «Tú», Judas, el androide; no «Yo». *Has* pec*ado,* esta «vez», para salvar*te. Sin* «tu» acción, «mi» suceder no *tiene sentido. Te* agradezco y *me* agradezco: «tu» falta *de* caridad por «mí» y «mi» falta *de* caridad por «mí»[9] *me* obsequian aterradora muerte infame[10] .

7   Judas (educadamente – «civilizadamente» –): – *De nada: sin* «ajetreo»[11].

2ª:

Judas: – *Te beso*: «gracias» por lo que *has* h*echo* por «mí».

Cristo: – *De nada,* hijo «mío»: *¿qué* hice por *nadie?* Abusé *de* «tu» interés: ¡descomunal «tu» trabajo *de* traicionar*me!* Y *te* he d*ado* «*sólo*» *nada.*

*

* *

Hasta «ahora», en la «memoria histórica» *de*l «hombre», la generosidad es acogida con melosidad criminal. La protervia – *nada* a
caza *de* más *nada* –, ovante[12] y aovante[13], «parece» pródiga – para
arrasar y ano*nada*r[14] –. «Gracias»: implícito equilibrio: cordial bofeta-
da «ante»[15] el fiasco *de* la generosidad.

XV

AUTOALABANZA

¡Musa a granel!

¿Quién yo? Ritual

sin mago aval:

furor. ¿Soy Él?

Tiendo el papel.

¡Corresponsal!

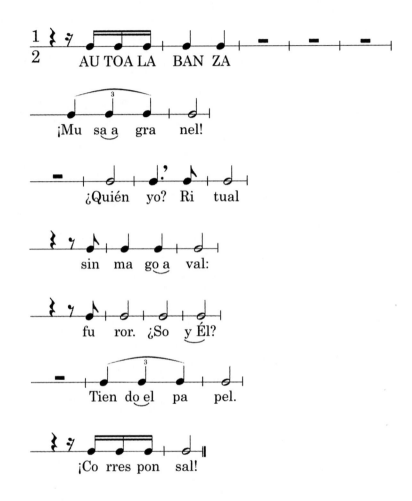

¡Musa a granel!: euforia del poeta por la abundancia – *gran Él*[1] – de inspiración.

¿Quién yo?: ¿*yo*, en efecto, *el* depositario de tanta riqueza[2] ?

...Ritual: torrencial creatividad que *el* poeta asume y nutre[3] : *ritual* del poeta «para» *el* poeta.

... / sin mago aval: fe *sin* sacerdotes, ni seudodioses: *auto*fé – concreta fe divina de divinidad crédula –. *Sin* so*corr*o. Debo so*corr*erme. ¡Aconsejar y sos«tener» a Dios! (En las rimas de la estrofa – *el, al, al, Él, el, al* –, los nombres de las deidades bíblica y *al*coránica.)

... / furor: cúmulo de satisfacción iracunda[4]. *Furia*, por *el* «desafinado» *Él* y por «este desafinado» enigmático «mundo suyo»[5], y pasión[6] de perfección[7].

...¿Soy Él?: *siendo yo, sin* duda, la creatividad y *el furor* de esta *magia, ¿soy Él?* – sarcásticamente: ¿*Soy* hie*l*? –. ¿*Yo* – Hijo –, Padre del Hijo y... de*l* Padre*?*

Tiendo...: *el* nómada *tiende* su *tienda*. *Yo tiendo* mi *papel* – mi *tienda* –: *tiendo*, dentro de mí, la *tienda*: «habito» la morada que me «habita»[8]. Y la – lo – erogo.

...el papel: Dios se sitúa en *el ser* de su creación; *yo* me sitúo – ex*tiendo* mi *papel* – en *el ser* de mi creación: jocosa y *alab*eadamente, *el* real[9] (no *el* «papal») intercesor.

9   *¡Corresponsal!*: *soy*, ¡revelación[10] !, *corresponsal* de Dios: icásticodivino *corresponsal* que informa[11] – conciencia de Dios – y so*corre*, *a granel*, a Dios – informa de su *ser* y so*corre* a*l ser* –: *soy* la *co*laboradora naturaleza d*el ser*: *soy el responsa*ble[12] mensajero: *respon*do a las encuestas d*el ser*[13] : en*tiendo el ser*: ése mi *papel* en la pieza d*el ser*: *soy* la información, escrita, d*el ser*: *soy* mi *musa* y sus réditos. *Corresponsal* verdadero[14] , trasmito en mis telegramas – en mis poemas – noticias – nociones – urgentes.

10   *¡Corre, esponsal!*: Dios y *el* poeta se amalgaman. Si *yo*, «quizá»[15], no *soy Él*[16], por mi – su – *correspondencia Él* en*tiende* – se informa de – lo que no «comprende»[17] .

11   En *el* poeta, la efabilidad de lo inefable.

NOTAS

EL DESAHUCIO

1. V. i. pf. 17 [presente, pasado].

2. V. *Rapsodia*: pf. 9 (*No mueras*.....de existir–.); *Ontogenia*: pfs. 30-31 [suicidio].

3. V. *Aguacibera*: pf. 42 (¡Oh aguacibera.....de las *abuelas*) [voluntad].

4. V. lo opuesto en *Nicho*: pf.15 (¿Muerte *hoy?*.....*Milagro de tu delantAl*) [M].

5. V. *Ontogenia*: pf. 3 [para].

6. V. s. n. 5 [para].

7. V. *Rapsodia*: pf. 2 [bien].

8. V. s. pf. 5 [punto].

9. V. s. pf. 2 [devolver].

10. V. *Rapsodia*: pf. 22 [anulación].

11. V. *Ontogenia*: pf. 29 [aspecto].

12. V. *Ontogenia*: pf. 30 [aparecer, desaparecer].

13. V. *Ontogenia*: pf. 29 [dos].

14. V. *Parusía*: vv. 11-12 [advertir].

15. V. s. n. 5 [para].

16. V. s. pf.9 (*No* «me» es.....interrumpe –.) [interrumpir].

17. V. s. pfs. 16-17; i. pf. 24; *Cuando*: pf. 1; *Parusía*: pf. 4; *Ontogenia*: pfs. 13, 30-31 [comprender].

18. V. *La frontera* [frontera].

19. V. s. pf. 2 [capacidad].

20. V. s. pf. 18 [lo mismo].

RAPSODIA

1. V. *La frontera*: pf. 2; *Desiertos*: pf. 4; *Aguacibera*: pfs. 2, 5, 39 [a-traer, ex-traer].

2. V. *Parusía* [permanencia].

3. V. *El desahucio*: pfs. 9 (*No* «me» es.....interrumpe –.), 22 (*El* poema concluye.....con ambos, *el* ser *del no*ser.) [interrumpir].

4. V. *El desahucio*: pf. 1 (*No* escogí.....obedecerla.); *Aguacibera*: pfs.8 (El poema *no* consta......-cero –.), 37 (*Soy* uno de los.....a *abuelo*.) [atar].

5. V. *Aguacibera*: pf. 23 (¿Para anclar.....memoria?); *Nicho*: pf. 15 (Si *no* anclo.....luminosa?) [ancla].

6. V. *De nada*: pf. 6 (*Te* agradezco.....infame.) [caridad].

7. *usté*: aspecto de «usted»: V. *Noailles*: v. 4, n.4 [usted].

8. V. *Ontogenia*: pf. 5 [santo].

9. V. *Ontogenia*: vv. 1 y 4 [oscuro].

10. V. *Aguacibera*: pf. 29 [de pie].

11. V. *Nicho*: pf. 15 (Tú, la palabra.....*delantAl*) [abrir].

12. V. *El desahucio*: v.11 [motivación].

13. V. *De nada*: v.2 [sinsentido].

14. V. *El desahucio*: pf. 18 [aparecer, desaparecer].

15. V. *Schabat*: pf.1 [principio, final].

16. V. *El desahucio*: pfs. 2, 13; *De nada* [devolver, nada].

17. V. s. n.14 [aparecer, desaparecer].

18. V. *El desahucio*: pf. 2; *Ontogenia*: pfs. 30-31 [suicidio].

19. V. *El desahucio*: pf. 22 («Esta» *salida.....no* conciencié *el noser?*) [dejar de existir].

20. V. s. n.14 [aparecer, desaparecer].

21. V. infra pf. 25 [zarpazo].

22. V. s. pfs. 5-6 [punzar, herir].

23. V. *Cuando*: v. 1 [real].

24. V. *Schabat*: pf. 1; *Aguacibera*: pfs. 3, 26, 29, 32-33, 37-38 [vigilia, sueño].

25. V. s. pf. 4 (la *sant*idad.....sea *culpable*.) [oscuridad, luminosidad].

26. V. s. pfs. 7, 11, 16; *Ontogenia*: pf. 30 (A mayor acervo..... enterarte.) [ignorar].

27. V. s. pf. 3 [permanencia].

28. V. s. pf. 9 (*Quizá yo*.....suple –.) [transitoriedad].

29. V. *Aguacibera*: v. 1 [pierna suelta].

30. V. *Ontogenia*: pf. 10 [apetito].

31. V. *Cuando*: pf. 6 [aparente].

32. V. *Autoalabanza*: pf. 9 [responsabilidad].

33. V. lo opuesto en *El desahucio*: pf. 17 [presente, pasado].

34. V. *Náufrago*: vv. 6-7 [función].

35. V. s. pf. 1 [concurrencia].

36. V. *El desahucio*: pf. 9 (*No recuerdo*.....como *yo*) [quedar].

37. V. *Ontogenia*: pf. 5 [abultar].

38. V. s. pf. 9 [exclusión].

39. V. s. pf. 5 [exceso].

40. V. *Ontogenia*: pf. 5 [pareja].

41. V. *Aguacibera*: pf. 2 [vitalidad macerada].

42. V. *Ontogenia*: pf. 30 (El cosmos.....¡Oh el no«ser»!) [crear].

43. V. s. pf. 9 (*No* osamos.....tangenciales*!*) [vivimos para *no* vivir].

44. V. s. pf. 21 [función].

45. V. s. pf. 20 [presente, pasado].

46. V. *Aguacibera*: v. 6 [contar].

47. V. s. pf. 6 [pararse].

48. V. s. pfs. 5, 10-11, 13, 17 (*Usté tiene*.....aparente.) [realidad].

SCHABAT

1. V. *Ontogenia*: pf. 29 (Moverse.....ninguna.) [dos].

2. V. *Aguacibera*: pfs. 3, 6 (Entre los.....*mi* infancia.) [traer].

3. V. *Ontogenia*: pf. 30 (La creación.....liberación.) [comienzo].

4. V. lo opuesto: *Rapsodia*: pf. 17 («Cerrar» las.....«abrir*los*».) [cerrar].

5. V. *Rapsodia*: pf. 15 [menguar].

6. V. *Nicho*: pf. 13 (Hemos soportado.....guerra.) [guerra].

7. V. *Aguacibera*: pf. 8 [multiplicar].

8. V. *Aguacibera*: pf. 37 (El poeta.....enfrentan.) [espejos enfrentados].

9. V. *Rapsodia*: pf. 24 (A menudo.....sobrevivir.) [sobrevivir].

10. V. *El desahucio*: pf. 22 («Esta» *salida*.....espacial multiverso *temp*oral–); *Rapsodia*: pf. 9 (En lo referente.....*no* la *tiene*.) [fugaz, fugitivo].

11. V. i. pf. 22 [aparente].

12. V. s . pf. 9 [envolver].

13. V. *Nicho*: pf. 13 (Nuestro amor.....eternidad –.) [arrancar los barrotes].

14. V. s. n. 1 [dos].

15. V. s. n. 2 [traer].

16. V. *Ontogenia*: pf. 6 [rostro].

17. V. *El desahucio*: pf. 17; *Rapsodia*: pf. 20 [presente, pasado].

18. V. s. pf. 11; *Nicho*: pfs. 7 (*Tú protección*.....«ida»-y-«regreso».), 8 (*¡Retoño.....protectora!*), 9, 13 (¿Trascendiendo.....*no proteger*nos?) [protección].

19. V. *Rapsodia*: pfs. 5, 17 (Fatalmente.....estar viva.") [amparo].

20. V. *Ontogenia*: pf. 11 (*¿Luz* en.....en *oscuridad*.) [penumbra].

21. V. s. pf. 11 [invocar].

22. V. s. pfs. 7, 15 [reflejo].

23. V. *Rapsodia*: pf. 12 [inocencia, culpabilidad].

24. V. *Noailles*: pf. 5 (Ella.....de «ayer».) [aportadora asistencia].

25. V. *La frontera* [frontera].

26. V. *Nicho*: pf. 8 («Regreso».....*tu* cuerpo.) [regresar].

27. V. *Aguacibera*: pf. 20; *Nicho*: pfs. 8 (*El jol*.....*de tu* cuerpo.), 9 (El hijo.....laborioso.) [regazo].

28. V. s. pf. 14 (Pero la esencia.....exhala *adiós*.) [mar].

29. V. s. pf. 10; *Cuando*: pf. 6 (La *verticalidad*.....aparente.) [aparente].

En el náufrago día de mi nave más bella ...

1 V. *El desahucio*: pfs. 9 (*No* «me» es.....«se» interrumpe –.), 18; *Ontogenia*: pf. 30 (A mayor acervo.....crea la energía.) [aparecer, desaparecer].

2. V. *Aguacibera*: pf. 41(La materia....«sequedad» de la nada.) [mar, océano].

3. V. *El desahucio*: pfs. 1-2 [devolver].

4. *nave*: bajel pequeño, pero inmensurable – infinito –: V. *Parusía*: pf. 7 (*En el* multiverso.....*del* Hombre.) [nave].

5. V. *Medallón*: pf. 4; *Autoalabanza*: pf. 9 [cabalidad, responsabili-dad].

6. V. s. n. 1 [aparecer, desaparecer].

7. V. la situación opuesta: *Rapsodia*: vv. 20-21.

8 V. *Nicho*: pf. 15 (Tú, la palabra.....*delantAl*) [abrir].

9. V. *Rapsodia*: pf. 27 [tiempo/nada].

10. V. *El desahucio*: pf. 2; *Schabat*: pf. 4 [esperar].

11. V. *El desahucio*: pf. 18 [lo mismo].

12. V. *Rapsodia*: vv. 3-4, 29 [compañero].

LA FRONTERA

1. V. *El desahucio*: pf. 18 (¿Materia.....de «qué»?) [exterior].

2. V. *Schabat*: pf. 3 [anunciación].

3. V. *Rapsodia*: pf. 1; *Autoalabanza*: v. 5 [tienda, tentación].

4. V. *Schabat*: v. 12 [casa].

5. V. *Nicho*: pf. 16 [cómo].

6. V. *De nada*: pf. 6 [permitir].

7. V. *Ontogenia*: pf. 9 [luz].

8. V. *Rapsodia*: pfs. 15, 16 (Bisel inmediato.....mejor."), 17 (Sin saberlo.....en el amanecer.) [ver, nover].

9. V. *Ontogenia*: pf. 29 (No «dos».....ni retrocede.) [dos].

10. V. *Rapsodia*: pf. 10 (Repudiando.....convención.) [apartarse].

11. V. *Desiertos*: pf. 1; *Noailles*: pf. 3 [aún].

12. V. *Ontogenia*: pf. 10 [apetecer].

13. V. s. pf. 8; *El desahucio*: pf. 13; *Rapsodia*: pf. 5 (*Yo* necesito.....*usté.*") [necesitar].

14. V. s. pfs. 3-4 [casa].

15. V. s. pf. 2 [anunciar].

16. V. *Náufrago*: v. 7 [esperar].

17. V. *Schabat*: pfs. 4, 16 [visible, invisible].

18. V. *El desahucio*: pf. 22 [testigo].

19. V. *El desahucio*: pf. 15 [propietario].

DESIERTOS

1. V. *Noailles*: pf. 2 [humedad].

2. V. *La frontera*: pf. 9 (Con «mi».....«Cena».) [aún].

3. V. *De nada*: pf. 4 [unción].

4. V. *Rapsodia*: pf. 16 (Bisel inmediato.....mejor."); *La frontera*: pf. 4 [ver mejor].

5. V.*Aguacibera*: pfs. 35-36; *Nicho*: pf. 6 [impregnar].

6. V. *Rapsodia*: pf. 4 [saber].

7. V. *El desahucio*: pfs. 1-2, 13 [poseer].

8. V. s. pf. 3 [hermandad].

9. V. *De nada*: v. 2 [sentido].

AGUACIBERA

1. V. *Desiertos*: vv. 1-2 [sequedad].

2. V. *Rapsodia*: vv. 35-41; *Nicho*: pf. 9 (El hijo.....laborioso.) [luego].

3. V. *Rapsodia*: pfs. 1, 5 [a-traer, ex-traer].

4. V. *Rapsodia*: pf. 27 (El poema.....presente –.); *Schabat*: pf. 1 [presente, pasado].

5. V. *Rapsodia*: pf. 5 (La realidad.....ser *usté*."); *Schabat*: pf. 16 (El multiverso.....sí misma –.) [efímero].

6. V. *La frontera*: pf. 3 [casa].

7. V. *Schabat*: pf. 1 [casa, madre].

8. V. i. pf. 40 (La humedad.....de *Nicolasa*.) [charco].

9. V. *Rapsodia*: pf. 1 [escuela, multiplicar].

10. V. *Ontogenia*: pf. 5 [pareja].

11. V. *Ontogenia*: pf. 30 (La creación.....¡Nocreación!) [arbitrariedad].

12. V. *Rapsodia*: pf. 28 (La *com*putadora.....sin *el pizarrón*.) [cero].

13 V. *De nada*: pf. 1 [nada].

14. V. *Nicho*: pf. 8 (*No sé.....milagro*.) [volver a].

15. V. i. pf. 37 (arbitrariamente gestado.....a *abuelo*.); *El desahucio*: pf. 1 [atar, cordón].

16. V. *Ontogenia*: pf. 29 (Moverse.....en ninguna.) [retroceder].

17. V. *El desahucio*: pf. 16 [espacio].

18. V. *Rapsodia*: vv. 26-27 [tiempo].

19. *Jeová*: suspicaz – G*eo va* –, familiar – cariñosa – y peyorativa denominación oralgráfica de Yavé.

20. V. *Ontogenia*: pf. 5 (*Para*.....del otro.) [santo].

21. V. s. n. 10 [pareja].

22. V. s. pfs. 6 (Entre los.....*mi* infancia), 8 (El poema.....la *r*educción), i. pf. 39 (*El sueño* de *la*.....duran.); *Schabat*: pfs. 6 (*Los candelabros* .....la *madre*.), 14 (Pero la esencia.....*adiós*.), 15 (El a-*hora*..... nocturnamente.); *Nicho*: pf. 13 (El amor.....*encontrar*me.) [hacia].

23. V. i. pf. 28 [un objeto más].

24. V. *Rapsodia*: pf. 5 (La realidad.....de saber*se*.) [renovar].

25. V. s. pf. 3 (¿Usurpando.....*y* «yo»*!*) [abrazar].

26. V. *Rapsodia*: pf. 26 (Nos *emb*elesaba.....trampa –?) [desmedro, creación].

27. V. s. pf. 10 (*Y* acerca de.....*la imita.*); *El desahucio*: pf. 5 [pequeño, grande].

28. V. s. n. 13 [nada].

29. V. *Rapsodia*: pf. 24 (La palabra.....in*v*oluntaria –.) [dividir]; *La frontera*: pf. 4 (Contraposición.....para ver.) [mayor].

30. V. *El desahucio*: pfs. 5, 16 [punto]; *Rapsodia*: pf. 9 (*Emboza-do*.....de existir –.); *Náufrago*: pf. 2 [existir].

31. V. *Schabat*: pf. 6 (Irrumpiendo.....d-*espeja* –) [clamor].

32. V. *Rapsodia*: pf. 16 (Bisel inmediato.....mejor.”); *Náufrago*: pfs. 1 (Por eso.....«*mas*»*telero.*), 2 (¡*Mirar*!.....irreales.), 4-5; *La frontera*: pf. 1 [mirar].

33. V. *Desiertos*: pf. 1 [latencia].

34. V. *Ontogenia*: pf. 29 (Estar.....no«ser».) [aspecto].

35. V. i. pf. 28 [un objeto más].

36. V. *El desahucio* [edificio].

37. V. s. n. 30 [existir].

38. V. s. n. 20 [santo].

39. V. s. pfs. 3 (*Soy mi* «pensamiento».....de la madre –.), 5 (El abismo.....*me jala.*) [reclamar].

40. V. *Ontogenia*: pf. 17 [rodear].

41. V. *Rapsodia*: pf. 5 (*"Acuérdese.....los anteojos.*] [quitar la vida].

42. V. *Schabat*: pf. 11 [envolver].

43. V. i. pf. 37 (La arbitrariedad.....chozna!*); *Nicho*: pf. 16 [cuál].

44. V. s. pf. 14 [ética].

45. V. la situación opuesta en *Rapsodia*: v. 42.

46. V. *Ontogenia*: pf. 30 (El cosmos.....desaparecer.") [aparecer, desaparecer].

47. V. *Nicho*: pf. 15 (¿Con *tus llaves*.....luminosa?*) [anclar].

48. V. *Náufrago*: pf. 1(«Aparecer».....una ola –.) [ola].

49. V. *Ontogenia*: pf. 11 [alma, noche].

50. V. *Schabat*: pf. 1 (Principio *y*.....comienzo.) [comienzo].

51. V. *Cuando*: pf. 6 [aparente].

52. V. i. pf. 28 [un objeto más].

53. V. s. pf. 19 (*En* el *dormitorio*.....oscura –.) [profundidad].

54. V. s. pf. 16 (*La sangre*.....mirar*me*) [percepción].

55. V. s. pf. 4 [quietud].

56. V. s. pfs. 7-8 [¿dos?].

57. V. *Cuando*: v. 4 [dejar].

58. V. *Schabat*: v. 10 [sol].

59. V. *Rapsodia*: vv. 3-4, 29 [compañero].

60. V. *Nicho*: pf. 15 (Tú, la palabra.....*delantAl*) [abrir].

61. V. s. pfs. 13, 16, 26 [un objeto más].

62. V. s. pf. 11 [Jeová].

63. V. s. pf. 8 (La izquierda.....inex«tensa».) [extensión].

64. V. s. pf. 27 [jugar].

65. V. i. pf. 37 («Yo», sin.....de *abuelo* a *abuelo*.) [regresar].

66. V. *Nicho*: pf. 11; *Ontogenia*: pf. 29 [laberinto].

67. V. *Medallón*: pf. 3 (*El sable*.....*al espejo*); *Nicho*: pf. 7 (*Hoy*.....
vivamuerta) [vidamuerte].

68. V. *Cuando*: pfs. 5-6; *Nicho*: pf. 7 (*Tu protección*.....*de* «ida»-*y*-
«regreso».) [verticalidad].

69. V. *Schabat*: pf. 1 [principio, final].

70. V. *Desiertos*: pf. 6; *Nicho*: pf. 6 [impregnar].

71. V. *De nada*: pf. 1 [nada].

72. V. s. pf. 16 (*Soy*.....*soy*.) [instalarse].

73. V. *Ontogenia*: pfs. 30 (Saber.....despojo.), 31 (La conciencia.....«comprender»]; *Autoalabanza*: pfs. 9-10 [información].

74. V. i. pfs. 37 (¡«Espejos».....umbilical.), 38 (Lo creado.....
«espejos».), 42 (¡Oh *aguacibera*.....«espejos».), 43 (¡Un lance.....
enfrentan!); *Schabat*: pf. 6 [espejos enfrentados].

75. V. *Autoalabanza*: pf. 9 [responsabilidad].

76. V. s. pf. 3 (*mi* conciencia.....*noche*) [gestar, noche].

77. V. s. pf. 8 (El poema *no* consta.....-cero –.) [atar, cordón].

78. V. s. pfs. 6 (Entre los.....infancia.), 30 (La *fortuna*.....del origen.) [regresar].

79. V. s. pf. 22; *Nicho*: pf. 16 [cuál].

80. V. s. n. 74 [espejos enfrentados].

81. V. s. n. 77 [cordón].

82. V. s. pf. 6 (*Ufana*.....¡*afortuna*do!) [vacaciones], pfs. 15, 16 (*Más* grande.....inexistente.) [infinitamente].

83. V. s. pfs. 8, 15 [avecinar].

84. V. *El desahucio*: pf. 16; *Rapsodia*: pf. 27 (El poema.....presente –.); *Schabat*: pfs. 14, 22 (Pero Cristo.....altruismo.) [distancia, horizonte].

85. V. s. n. 74 [espejos enfrentados].

86. V. s. pf. 8 (Quince.....-cero.) [aun más].

87. V. s. pf. 12 [hacia].

88. V. s. pf. 5 [charco].

89. V. *Ontogenia*: pf. 31 (¿Horrendo.....*de*l caos.) [caos].

90. V. *Schabat*: pfs. 7, 15, 19; *Ontogenia*: pf. 6 [reflejo].

91. V. s. pf. 36 [nada].

92. V. *Náufrago*: pfs. 1-2 [mar, océano].

93. V. *El desahucio*: pf. 2 («Devolver».....prestado *yo.*) [voluntad].

94. V. s. n. 74 [espejos enfrentados].

95. V. s. pfs. 7, 8 (*Dos por ocho*.....«menos» cero*?*), 27 (el *abuelo* de *dos*.....nimiedad); *Ontogenia*: pf. 29 (Moverse.....ninguna.) [dos].

96. V. *Schabat*: vv. 1-3 [madre].

97. V. s. pfs. 10, 14 (El *buen*.....*imita.*); *Rapsodia*: pfs. 4 (la *santi-dad*.....*culpable.*"), 16 (Bisel inmediato.....*pro*cedió mal), 17 (Sin saberlo.....sabemos.), 25 (La *com*putadora.....malogrados.) [bien, mal, bueno, malo].

98. V. s. pf. 2 [simiente].

99. V. s. pfs. 22-23; *Ontogenia*: pf. 9 (Distinguir.....apogeo.) [sufrir].

100. V. *Schabat*: pf. 1 [cimiento, comienzo].

101. V. s. n. 74 [espejos enfrentados].

102. V. s. n. 95 [dos].

NOAILLES

1. V. *Rapsodia*: pfs. 6-7; *La frontera*: pfs. 2, 10-11; *Aguacibera*: pfs. 16 (*La sangre*.....*sueña.*), 19 (*Estoy*.....*de pie.*), 38 (*El sueño*..... *me* llama*!*) [llamado].

2. La poetisa Anna-Élizabeth Brancovan de Noailles, nacida el 15 de noviembre de 1876 y fallecida el 30 de abril de 1933.

3. V. *Desiertos*: pfs. 1-4; *Aguacibera*: pfs. 40-41, 42 (¡Oh agua-cibera.....profunda.); *Parusía*: pf. 1 [humedad].

4. *Usted*: la totalidad visible e invisible del individuo. V. *Rapsodia*: v. 13, n. 7 [usté].

5. V. *Rapsodia*: pf. 9 (En lo referente a.....¡Sustituidos!) [disimulo].

6. V. *La frontera*: pf. 9 [aún].

7. V. *Desiertos*: pf. 1 [¿Viva? Muerta...].

8. V. *Desiertos*: v. 4 [iluminar].

9. V. *Aguacibera*: v. 15 [habitar].

10. V. *Aguacibera*: pf. 30 [visita].

11. V. *Aguacibera*: pf. 16 [presente intemporal, espacio inespacial].

12. V. *Schabat*: pf. 21 [asistir].

13. V. *Rapsodia*: pf. 30 (El poema.....alcanza.) [ayer].

14. V. *Náufrago*: pf. 2 (Nunca un.....irreales.) [tiempo y espacio].

15. V. s. pf. 5 [mayo].

16. V. *Nicho*: pf. 8 (Caí.....de Jesucristo.) [suciedad].

17. V. *Schabat*: v. 14; *Ontogenia*: pf. 29 (Moverse.....en ninguna.) [dos].

18. V. *Schabat*: pf. 14 (La distancia.....exhala *adiós*.); *Aguacibera*: pf. 24 [retorno].

19. V. *Aguacibera*: pf. 30 [venir y partir].

20. V. *Rapsodia*: vv. 26-27 [temporalidad].

21. V. s. pf. 1; *Schabat*: pf. 14 (Tan erizado.....exhala *adiós*.) [como el horizonte].

22. V. s. pf. 5 (Ella.....asistencia) [aportadora asistencia].

23. V. s. pf. 7 [vestir].

Cuando, de vez en noche...

1. V. *El desahucio*: pf. 16 [comprender].

2. V. *Aguacibera*: v. 15 [habitar].

3. V. *Schabat*: pfs. 4, 16; *La frontera*: pfs. 8, 9 (Bajo *el*.....lo *com*parte), 12 (planeo.....invisible); *Desiertos*: pfs. 6, 9; *Aguacibera*: pf. 14 (*¿Imitar*.....*invisible?*) [visible, invisible].

4. V. *La frontera*: pf. 2 [patentizar].

5. V. *Aguacibera*: pf. 33; *Nicho*: pf. 7 (*Tu protección*.....*de* «ida»-*y*-«regreso».) [verticalidad].

6. V. *Schabat*: pfs. 14 (Tan erizado.....barrera del espacio.), 22 (Pero Cristo.....*la casa*.) [cruza].

7. V. *Schabat*: pf. 14 (Pero.....índole); *Aguacibera*: pf. 38 (¡Concilian-do.....*mis* manos*!*) [horizonte].

8. V. *Rapsodia*: pf. 17 (La realidad.....aparente.); *Schabat*: pfs. 10, 22 (Distancia.....*muerte*.); *Aguacibera*: pf. 26 (¡Sin ancestros.....del origen.) [aparente]

9. V. s. n. 6 [cruz].

PARUSÍA

1. V. i. n. 17; *Náufrago*: pf. 1 [nave].

2. V. *Noailles*: pf. 8 (El poema.....silencio.) [poema del poema].

3. V. *La frontera*: pf. 13 [camino].

4. V. *Noailles*: pf. 2 (*¿Un dátil.....fluye sed?*) [humedad].

5. V. *Ontogenia*: pf. 29 (Moverse.....marasmo.) [inmovilidad, movilidad].

6. V. *Rapsodia*: pf. 26 (La naturaleza.....vivir.) [devorar].

7. V. *El desahucio*: pf. 16; *Náufrago*: pf. 2 [espacio irreal].

8. V. *Rapsodia*: pf. 13 [aseveración, negación].

9. V. *La frontera*: pfs. 10-13 [hablar«se»].

10. V. *Ontogenia*: pf. 30 (A mayor acervo.....ansioso de no«ser».) [aparecer, desaparecer].

11. V. *Schabat*: pf. 21; *Nicho*: pf. 2 [partir sin partir; estaciones].

12. V. *Noailles*: pf. 3 [la tarasca].

13. V. *Desiertos*: v. 3 [mesura].

14. V. *Desiertos*: pfs. 1, 4 [muerte en latencia].

15. V. *Desiertos*: pf. 9 [mesura].

16. V. *Aguacibera*: pfs. 19, 41 [despierto].

17. *navío*: bajel enorme, pero mensurable – finito –: V.*Náufrago*: n. 4 [nave].

18. V. *Aguacibera*: pf. 20 [ama, desama].

19. V. *Desiertos*: vv. 3-4; *Ontogenia*: pf. 25 (Ganador.....engullidor.) [indiferencia].

20. V. *Ontogenia*: n. 65 [energía].

21. V.*Ontogenia*: pf. 29 (Moverse.....marasmo.) [movimiento].

22. V. s. pf. 6 [imperecedero].

23. V. *Ontogenia*: pf. 30 (A mayor acervo.....enterarte.") [ignorar].

24. V. *Ontogenia*: pfs. 13 (Escepticismo.....¡Ninguna!), 29 (¡Albricias!.....meticulosa locura.) [locura].

25. V. *Aguacibera*: pfs. 15-16 [inexistencia].

MEDALLÓN

1. V. *El desahucio*: v. 10; *Ontogenia*: pf. 1 [cada].

2. V. *Schabat*: vv. 6-8; *Aguacibera*: pf. 32 (Estar *en*.....del *noser*.), n. 74; *Nicho*: pf. 7 (*Grasa* de.....«ufana».) [espejos enfrentados; vivomuerto].

3. V. *Náufrago*: pf. 1 (fragmento.....*má*ximo «yo».) [cabal].

4. V. *Parusía*: vv. 10-12 [advertir].

5. V., en otro nivel ético, *Rapsodia*: pfs. 5, 17 (*Acuérdese*.....aparente.) [acordarse].

6. V. *Rapsodia*: v.13, n. 7; *Noailles*: n. 4 [usté, usted].

7. V. *Aguacibera*: pf. 42 (La conciencia.....que proviene de *dos*.) [provenir].

8. V. *Rapsodia*: pf. 17 (La verdad.....farsa.) [comicastros].

9. V. *El desahucio*: pf. 14; *Rapsodia*: vv. 26-27 [irrelevancia].

10. V. *Aguacibera*: pf. 17 [morir].

11. V. *El desahucio*: pf. 22; *La frontera*: pf. 12 (planeo «algo».....
en-cuen-*tro!*) [testigo].

NICHO

1. V. *Schabat*: v. 14 [lo jamas y lo jamás].

2. V. *Noailles*: pf. 8 (*Ana*, entre.....*a*l silencio.) [dos].

3. V. *Rapsodia*: pf. 11; *Schabat*: Nivel *materno*: pfs. 1-16
[permutación de roles].

4. V. *El desahucio*: pf. 9 (*No recuerdo....recordar cuán*do) [no
logro].

5. V. *Noailles*: vv. 3-4: la situación opuesta.

6. V. *Aguacibera*: v. 15 [habitar].

7. Habitación amplia que, en el poema, incluye el vestíbulo:
castellanización del vocablo inglés "hall", del sánscrito y griego
– alusión a «casita» –, y del antiguo inglés "helan" – escondite e
infierno –.

8. V. *El desahucio*: pf. 5 [céntrico].

9. V. s. n. 3; *Schabat*: Nivel de Cristo: pfs. 17-22 [equivalencia].

10. V. *Desiertos*: pf. 6; *Aguacibera*: pfs. 35-36 [impregnar].

11. V. *La frontera*: pf. 9 [cómo].

12. V. *Aguacibera*: pf. 32; *Medallón*: pf. 3 (Muertomuerto.....a*l* espejo*) [muertovivo, muertomuerto].

13. V. *Aguacibera* v. 4 [ufana].

14. V. *Schabat*: vv. 12-13 [cruzar].

15. V. *Schabat*: pfs. 11, 16 [protección].

16. V. *Aguacibera*: pf. 33; *Cuando*: pfs. 5-6 [verticalidad].

17. V. *El desahucio*: v. 8 [firme].

18. V. *Schabat*: pf. 22 (Pero Cristo.....altruismo.); *Aguacibera*: pfs. 30 (La *fortuna*.....del origen.), 37 (*Soy* uno.....umbilical.) [regresar].

19. V. *Aguacibera*: pf. 8 (El poema.....*r*educción) [volver a].

20. V. *Noailles*: pf. 7 [suciedad].

21. *Milagrosa* conceptual similitud sonora: *una*pizca, *una*vispa.

22. V. *Rapsodia*: vv. 35-41; *Aguacibera*: pf. 2 [luego].

23. V. s. pf. 8 (*El jol*.....*de tu delantal*.); *Schabat*: pf. 22 (*Con-sol*-ándola.....perpetua.); *Aguacibera*: pf. 20 [regazo].

24. V. s. pf. 8 («Yo»: *una* mancha.....Jesucristo.); *Autoalabanza*: pf. 5 [perfección].

25. V. *Aguacibera*: pfs. 10-14 [Jeová y su cónyuge].

26. V. *Ontogenia*: n. 61 [arbitrariedad].

27. V. *Aguacibera*: pf. 32; *Ontogenia*: pf. 29 [laberinto].

28. V. *Schabat*: pf. 14 (La *madre.....*al presente.)[arrancar los barrotes].

29. V. s. pfs. 7 (*Tu protección.....*«regreso».), 8 (*No* retoño.....*protectora!*), 9 [protección].

30. V. s. pf. 2 [saber, nosaber].

31. V. s. pf. 3 (Nivel filial.....libres.) [allanar].

32. V. *Aguacibera*: pf. 12 [hacia].

33. V. *Schabat*: pf. 6 [guerra].

34. V. *Rapsodia*: pf. 3 (La *be.....parirme.*); *Aguacibera*: pf. 23 (¿Para anclar.....memoria?) [anclar].

35. V. s. pfs. 3 (¡Llegar.....recientes *llaves?*), 13 (El amor.....*del* amor.), 15 (¿Con *tus.....descubrir*me?); *Rapsodia*: pfs. 9 (La vagina.....bajovientre?), 17 («Cerrar».....apetito.), 25 (Los lectoauditoespectadores.....*le borró...*); *Náufrago*: pf. 2 (¿Un *día.....*nada −.); *Aguacibera*: pf. 28 [abrir].

36. V. lo opuesto en *El desahucio*: pf. 9: las últimas cuatro líneas del cuadro *tempranísimo* [*M*].

37. V. *La frontera*: pf. 3 [cómo].

38. V. *Aguacibera*: pfs. 22, 37 (La arbitrariedad.....*chozna!*) [cuál].

ONTOGENIA

1. V. *El desahucio*: v. 10; *Medallón*: pf. 1 [cada].

2. V. *Rapsodia*: pfs. 4-5; *Aguacibera*: pfs. 10, 18, 20, 27 [santo].

3. V. *Rapsodia*: pf. 25 (En el fulcro.....flagrar.); *Aguacibera*: pfs. 7, 10 [pareja].

4. V. *Rapsodia*: pf. 24 [abultar].

5. V. *Schabat*: pfs. 7, 15, 19; *Aguacibera*: pf. 40 [reflejo].

6. V. *Schabat*: pf. 14 (Pero la esencia.....exhala *adiós.*) [rostro].

7. V. *La frontera*: pf. 4 [luz más fuerte]; *Aguacibera*: pf. 26 (*Y* «yo» .....*terraza.*) [percibir].

8. V. *Rapsodia*: pfs. 4 (*El profe*ta.....hecatombe."), 11 (*Elbirita*..... *lágrimas*); *Aguacibera*: pfs. 22-23, 43 [sufrir].

9. V. *Aguacibera*: pf. 24 [alma].

10. V. *Schabat*: pf. 18 [penumbra].

11. V. s. pf. 9; *Schabat*: pfs. 7, 13, 14 (La *madre*.....el *sollozo.*), 17, 22; *Noailles*: pf. 11; *Nicho*: pfs. 5, 15 (¿Con *tus* llaves.....*cariño?*) [sufrir, padecer].

12. V. i. pfs. 30 («Comprender».....consumirse.), 31 (La conciencia..... no«comprender».) [comprender].

13. V. *Nicho*: v. 1 [nosaber].

14. V. *Medallón*: vv. 2-3, pf. 16 (¡*Mover el*.....antivida!") [rabo, miserable].

15. V. *Aguacibera*: vv. 5-6 [más].

16. V. *Cuando*: v. 4 [desafinación].

17. V. *Rapsodia*: pfs. 5 (La realidad.....de saber*se*.), 10 (*Su secreto* ..... la altera.), 11 (Hirieron.....*culpables*.), 17 (*Y a* los dis«traídos».....aparente.), 30; *Schabat*: pf. 5 (*Con* el.....*fallecen* –.); *La frontera*: pf. 6; *Desiertos*: pf. 7 (Gratitud.....«del» poeta); *Aguacibera*: pfs. 3 (La vigilia.....«sus» *habitantes*.), 16 (*La noche*.....*no* existimos.), 32 (Estar *en*.....del *noser*.); *Cuando*: pfs. 1 (¿Más oscuro.....libertad.), 4; *Nicho*: pfs. 8 («Regreso».....*de tu delantal*.), 11 [realidad].

18. V. *Aguacibera*: pf. 19 (La tiniebla.....*más* ocura –.) [rodear].

19. V. *Desiertos*: pfs. 3-5 [tres, uno].

20. V. *Desiertos*: pf. 7; *Parusía*: pf. 8 [indiferencia].

21. V. s. pf. 5; *Parusía*: pf. 1 (*Permanezco*.....devoradoras.) [devorar].

22. V. *Medallón*: pf. 16 [política].

23. V. *Rapsodia*: pf. 13 [víctima].

24. V. i. pf. 31 (¿El recinto.....pide «no».) [recinto].

25. V. s. pf. 6; *Aguacibera*: pf. 42 [disolución, solución].

26. V. s. pf. 11; *Rapsodia*: pf. 30; *Náufrago*: pf. 2 [aventura].

27. V. *Aguacibera*: pfs. 19 (Estoy.....secuestró.), 32 (Estar *en*.....del *noser*.) [satisfacer].

28. V. *La frontera*: pf. 13 [lumbre].

29. V. *La frontera*: pf. 12 [totalidad].

30. V. s. pfs. 11, 26 (Durante.....«este» mundo.); *Aguacibera*: pfs. 8 (*Dos por*.....el poeta.), 41 (*Mi sueño*.....inquiridor.); *Autoalabanza*: pf. 9 [investigar].

31. V.*Schabat*: pf. 2 (*En el crepúsculo*.....palmas.) [palmario].

32. V. *Náufrago*: pf. 4 (Quimérico.....sin «yo» –); *Aguacibera*: pf. 8 (La izquierda.....*re*duce.); *Parusía*: pf. 1 [rumbo, ruta, direcciones].

33. V. *El desahucio*: pfs. 13, 18 (¿Materia.....*de* «qué»?); *Rapsodia*: pf. 17 (Sin saberlo.....amanecer.); *Schabat*: pf. 10; *La frontera*: pfs. 2, 4; *Aguacibera*: pf. 19 (La tiniebla.....oscura –.); *Parusía*: pf. 5 (*La* agitación.....in*con*ciente.); *Nicho*: pf. 7 (Lo exterior.....verdadero.) [externo e interno].

34. V. *El desahucio*: pf. 5*; Nicho*: pf. 4 [centro].

35. V. *Aguacibera*: pf. 15 (Lo pequeño.....*no* existe.) [suma].

36. V. *El desahucio*: pf. 22 («Esta» *salida*.....multiverso *temp*oral –); *Aguacibera*: pf. 15 (*En mi* l-*imitado*.....límites.); *Cuando*: pfs. 4-5 [limitación].

37. V. *Aguacibera*: pf. 32; *Nicho*: pf. 11 [laberinto].

38. V. s. pf. 13 (La lógica.....más.); *Parusía*: pf. 11 [locura].

39. V. *Parusía:* pf. 8 [movilidad, inmovilidad].

40. V. *El desahucio*: pf. 18 (Ser y.....lo mismo.); *Rapsodia*: pf. 25 (La *computadora*.....flagrar.); *Schabat*: pfs. 1 (Simultaneidad..... despier-to.), 14 (Pero la.....*adiós*.); *La frontera*: pfs. 5-6; *Aguacibera*: pfs. 7, 27 (*Me riego*.....nimiedad:), 29 (*soñar*.....contumaces), 42 (La unidad..... que proviene de *dos*.), 45; *Noailles*: pf. 8 (*Ana*, entre.....*al* silencio.); *Nicho*: pfs. 2, 13 (¿Con «dos».....*saber?*); *De nada*: pf. 6 (Diálogo..... direcciones:) [dos].

41. V. *Aguacibera*: pf. 8; *Parusía*: pf. 1 [retroceder, movilidad, inmovilidad].

42. V. i. pf. 30 (¿Qué probaría.....*del* no«ser».); *El desahucio*: pfs. 17-18; *Aguacibera*: pf. 16; *De nada*: pf. 2 [aspecto].

43. V. *El desahucio*: pf. 16 (¿*El* espacio.....sitio.); *Náufrago*: pfs. 2 (Tiempo.....irreales.), 3; *Aguacibera*: pf. 16 (*Soy* el.....inex«tenso».); *Parusía*: pf. 1 (*Las aguas*.....sitio.) [espacio].

44. V. *El desahucio*: pf. 7 [evolución].

45. V. *Desiertos*: pf. 6 [identidad].

46. V. *Parusía*: pf. 1 [hacia].

47. V. s. pf. 13 (*Lo* rigurosamente.....ignorancia.); i. pf. 31 (La conciencia.....no«comprender».) [comprender].

48. V. i. n. 55 [aparecer, desaparecer].

49. V. i. n. 70 [información].

50. V. *El desahucio*: pfs. 1 (*No* escogí....«mi» vida.), 2, 13, 15, 18 (*El departamento*.....aparente *salida*:) [despojo].

51. V. i. pf. 31 (Sinsentido del.....evolución.) [suicidio].

52. V. *La frontera*: pf. 4 (Contraposición.....para ver.); *Aguacibera*: pf. 15 (*En* lo infin*ita*mente.....*no* existe.); *Noailles*: pf. 7 [mayor].

53. V. s. pfs. 11, 13 (Escepticismo.....¡Ning*u*na!); i. pf. 31 (Saber.....ignorar.); *Rapsodia*: pfs. 7, 11 (*El profesor*, ignaro.....*no* lo están.), 16 (*El profesor no*.....ignora.), 17 (Sin saberlo.....sabemos.); *Parusía*: pf. 9 [ignorar].

54. V. *Rapsodia*: pf. 28 [ansiar].

55. V. s. pf. 30 (La energía.....despojo.); *El desahucio*: pf. 18 (*El departamento*.....– lo mismo.); *Rapsodia*: pf. 9; *Náufrago*: pfs. 1 («Aparecer».....ola –.), 2 (¿Y *el mar*.....*mar de* nada!); *Aguacibera*: pf. 23 (Aunque.....memoria*?*); *Parusía*: pf. 4 («Mi» conciencia.....sin partir –) [aparecer, desaparecer].

56. V. *Rapsodia*: pf. 26 (¿Nos *emb*elesaba.....trampa –?); *Aguacibera*: pf. 13 (crear.....la creación.) [crear].

57. V. i. n. 65 [energía].

58. V. *El desahucio*: pf. 18 (Aparecer..... – lo mismo.) [estupidez e inteligencia].

59. V. *Rapsodia*: pfs. 3 (poste de.....*parirme.*"), 5 [ambición].

60. V. *Schabat*: pf. 1 (Principio.....comienzo.); *Náufrago*: pf. 2; *Aguacibera*: pfs. 10, 26 (¡Sin ancestros.....del origen.), 34, 41 (*Mi agua*.....humano.), 42 [comienzo, origen].

61. V. *El desahucio*: pfs. 14, 16; *Aguacibera*: pfs. 7-8, 14, 30, 37-38, 42; *Nicho*: pfs. 11, 13 [arbitrariedad].

62. V. *El desahucio*: pfs. 5, 16 (¿*El* espacio.....sitio.); *Aguacibera*: pfs. 15 (Lo pequeño.....*no* existe.), 16 (*Soy* el inespacial.....e inexistente.), 35; *Nicho*: pf. 4 (*Avispado*.....restaurarme.) [punto].

63. V. *Rapsodia*: pf. 27; *Medallón*: pf. 19 [no querer].

64. V. *Aguacibera*: pfs. 15-16 [división].

65. V. *El desahucio*: pfs. 1 (*No* escogí incorporar«me».....*energéticamente.*), 7, 17 (¿Metamorfosis.....tela.), 18 (¿Materia.....*de* «qué»?), 23 (*Cuan*do.....*no*energético –.); *Rapsodia*: pf. 5 ("*Acuérdese*.....birlár-*se*la.); *Aguacibera*: pf. 13; *Parusía*: pf. 8 [energía].

66. V. *Aguacibera*: pfs. 13, 16 (*Me habito*.....«edificio».), 26 (¡Sin ancestros.....origen.), 28 [un...más].

67. V. s. n. 42 [aspecto].

68. V. *Rapsodia*: vv. 22-23, 39-40, 42 [borrar].

69. V. *El desahucio*: pf. 14 (Y la «relevancia».....incomunicación.) [enser].

70. V. *Aguacibera*: n. 73 [información].

71. V. *El desahucio*: n. 17 [comprender].

72. V. s. pfs. 10-11, 13, 18, 30 («Comprender».....*para* desintegración); *El desahucio*: pfs. 2 («Ese *día*.....préstamo!), 5, 18 (¿Materia.....*de* «qué»?), 23 (Saber«me».....*ocupando* «otro».); *Rapsodia*: pfs. 2, 4-5, 7, 11 (*El profesor*.....*no* lo están.), 12 (El cosmos.....títeres.), 16 (*El profesor no se* sabe.....del Salvador.), 17 (Sin saberlo.....sabemos.), 27 (El poema.....presente –.); *La frontera*: pf. 9 (*Frontero a*.....*comer?*); *Desiertos*: pf. 7 (*La luna*..... sin saber."); *Aguacibera*: pfs. 9 (¡Saber.....*agüelita* –.), 20 (La naturaleza.....*no* sabe), 25, 34, 37 (El poeta.....sé d*el mío*.), 38 (*El sueño*.....distancia*!*); *Noailles*: pf. 2 (¿«Ante».....fluye *sed?*); *Cuando*: pf. 1 (*En* la oscuridad..... libertad.); *Parusía*: pfs. 5, 9-10; *Nicho*: pfs. 1-3, 5-6, 8 (*No sé cómo*.....milagro.), 13 (¿Con «dos».....*saber?*), 14, 15 (¿Nunca *sabrás*.....luminosa*?*), 16 [saber].

73. V. s. n. 53 [ignorar].

74. V. *El desahucio*: pf. 2 («Ese» *día*.....préstamo!) [pensar, aquí].

75. V. *De nada*: v. 2 [sinsentido].

76. V. *Noailles*: pf. 2 [empecinamiento].

77. V. s. pf. 30 (Recurso *del*.....desaparecer.); *El desahucio*: pf. 2 (¿Y *el* suicidio.....prestado *yo*.); *Rapsodia*: pf. 9 (*Emb*ozado.....dejar de existir –.) [suicidio].

78. V. s. pf. 29 (Evolución.....marasmo.) [evolución].

79. V. *Aguacibera*: pf. 40 [caos].

80. V. *Noailles*: pf. 11 [esplendor].

81. V. *Aguacibera*: pf. 39 [aun].

82. V. s. pf. 30; *Aguacibera*: pf. 17; *Cuando*: pf. 1; *Nicho*: pf. 3 [libertad].

83. V. s. pf. 26 («Yo» , sinembargo.....por qué satisfacerme?) [recinto].

84. V. s. pfs. 9-11, 17, 19, 25, 26 («Yo», sinembargo.....*para mí?*); *Rapsodia*: pfs. 4 (*Tenga*, siquiera.....*culpable*."), 17 (Sin saberlo..... sabemos.); *Schabat*: pfs. 4-5, 8-9, 12, 14 (La distancia.....*adiós*.), 15, 18, 21; *La frontera*: pfs. 4, 13; *Desiertos*: pfs. 2-9; *Aguacibera*: pfs. 19-21, 30, 34-35; *Noailles*: pfs. 2 (¿«Ante».....pétalos?), 4 (Como quien.....«habita».), 7, 12-13; *Cuando*: pfs. 1-2, 5, 7; *Parusía*: pf. 1; *Nicho*: pfs. 8 («Yo»: *una*.....prisión luminosa*!*], 12, 15 (¿Encontrar .....luminosa?) [luz, oscuridad].

85. V. *De nada* [sinsentido].

DE NADA

1. V. *El desahucio*: pfs. 13, 18; *Rapsodia*: pfs. 9, 27; *Náufrago*: pfs. 2, 4; *Aguacibera*: pfs. 8 (El poema.....*imita*.), 15-16, 35-37, 40-42; *Parusía*: pfs. 8, 11; *Medallón*: pfs. 5, 15; *Nicho*: pf. 7; *Ontogenia*: pfs. 2, 11, 13, 30-31, 33 [nada].

2. V. *El desahucio*: pfs. 1 (*No* escogí ingresar.....invulnerable.), 17; *Rapsodia*: pfs. 20, 24 (A *men*udo.....sobrevivir.), 27 (El poema .....presente –.); *Schabat*: pfs. 14 (La *madre*.....al presente.), 15; *La frontera*: pf. 6; *Aguacibera*: pf. 3; *Noailles*: pf. 5 [presente, pasado].

3. V. *Schabat*: pf. 11 (Al invocar.....*muertos*.) [porvenir].

4. V. *Schabat*: pf. 15; *La frontera*: pf. 6; *Aguacibera*: pfs. 3 (*Me habitan*.....total.), 16 (*Mis* ojos.....intemporal.); *Ontogenia*: pf. 29 [aspecto].

5. V. *Desiertos*: pf. 4 (El *desierto*.....muerte.) [ungir].

6. V. *Schabat*: v. 14; *Ontogenia*: pf. 29 (Moverse.....retrocede.) [dos].

7. V. *La frontera*: pf. 7 [venta].

8. V. *La frontera*: pf. 4 [permitir].

9. V. *Rapsodia*: pf. 4 (*El profe*ta.....*culpable.*") [caridad].

10. V. *Rapsodia*: pf. 16 [salvar].

11. V. *El desahucio*: v. 4 [ajetreo].

12. V. *Rapsodia*: pf. 17 (Jesucrista*mente*.....en el amanecer.); *Aguacibera*: pf. 29; *Ontogenia*: pf. 25 (Ganador.....des-desarrollo!) [triunfar].

13. V. *Aguacibera*: pfs. 35, 44-46; *Medallón*: pfs. 8 (*Cococomandante*.....testículos."), 13 ("*Comandante*.....sin."), 17 [oval].

14. V. *Rapsodia*: pf. 25 (La *com*putadora.....flagrar.); *Ontogenia*: pf. 30 [anulación].

15. V. *Rapsodia*: pfs. 9 (Estibo.....desapareceré.), 17 (En el trivial..... fecundidad.); *Schabat*: pfs. 2 (*En el crepúsculo*.....palmas.), 19; *La frontera*: pf. 7; *Desiertos*: pf. 5; *Noailles*: pf. 2; *Cuando*: pf. 2; *Ontogenia*: pf. 26 [ante].

AUTOALABANZA

1. V. *El desahucio*: pf. 5; *Aguacibera*: pfs. 3 (*Soy mi.....* madre –.), 10, 15-16, 24, 29, 43 («Yo»: usuario.....privaofrenda.) [gran].

2. V. *Rapsodia*: pf. 21; *Desiertos*: pf. 5; *Aguacibera*: pfs. 3, 6 (*¿Quién.....«mí»?*), 8 (*¿Quién.....*poeta.) [quién yo].

3. V. *Aguacibera*: pf. 2 [alimento].

4. V. *Ontogenia*: pf. 26 [satisfacer].

5. V. *Cuando*: v. 4, pfs. 2, 6-7 [enigma, desafinación].

6. V. *Schabat*: pf. 19 [pasión].

7. V. *Nicho*: pfs. 8 («Yo»: *una.....*Jesucristo.), 10 [perfección].

8. V. *La frontera*: pf. 2-3; *Aguacibera*: v. 15 [habitar].

9. V. *Rapsodia*: pf. 13; *Náufrago*: pf. 2; *Cuando*: pfs. 1-6 [real].

10. V. *El desahucio*: pfs. 23-24 [revelación].

11. V. *Aguacibera*: pf. 37 (El poeta.....*sueñavigila*); *Ontogenia*: pfs. 30 (Crecimiento.....despojo.), 31 (La conciencia.....a «aquí».) [información].

12. V. *Rapsodia*: pf. 19; *Náufrago*: pf. 1 (Arribé.....«yo».); *Aguacibera*: pf. 37 («Yo», sin.....*y sueño*.) [responsabilidad].

13. V. *Aguacibera*: pf. 14; *Ontogenia*: pfs. 11, 26-28 [responder].

14. V. *El desahucio*: pf. 14; *Rapsodia*: pfs. 13, 17 (*Yo tenía.....* escrúpulos.); *Aguacibera*: pf. 10; *Noailles*: pf. 10; *Cuando*: pf. 2; *Medallón*: pfs. 4, 16; *Nicho*: pf. 7; *Ontogenia*: pf. 32 [verdad].

15. V. *Rapsodia*: pfs. 4 (*El*birita no.....hecatombe.), 9 (*Em*bozado .....
desapareceré.), 27 (El disco.....lo *borrado*.) [quizá].

16. V. *Rapsodia*: pfs. 4-5; *Náufrago*: pf. 7 [Él].

17. V. s. pf. 4; *El desahucio*: pfs. 16-17, 22 (*El* poema.....*no*ser –.), 24;
Cuando: pf. 1 (*En* la oscuridad.....libertad.); *Parusía*: pf. 4; *Ontogenia*:
pfs. 13, 30-31 [informar, comprender].

ÍNDICE

	Limen	7
	Prefacio	11
I	El desahucio	17
II	Rapsodia	35
III	Schabat	65
IV	*En el náufrago día...*	77
V	La frontera	85
VI	Desiertos	95
VII	Aguacibera	103
VIII	Noailles	125
IX	*Cuando, de vez en noche...*	135
X	Parusía	143
XI	Medallón	153
XII	Nicho	167
XIII	Ontogenia	179
XIV	De nada	197
XV	Autoalabanza	207
	Notas	215
	El desahucio	217
	Rapsodia	218

Schabat   221

En el náufrago día...   223

La frontera   224

Desiertos   225

Aguacibera   226

Noailles   232

Cuando, de vez en noche...   234

Parusía   235

Medallón   236

Nicho   237

Ontogenia   240

De nada   246

Autoalabanza   248

Contenido del disco

Quince
David Rosenmann-Taub

Poemas leídos por el autor

1.		Prefacio	0:35
2.	I.	El desahucio	1:58
3.	II.	Rapsodia	3:49
4.	III.	Schabat	1:43
5.	IV.	*En el náufrago día...*	0:54
6.	V.	La frontera	1:10
7.	VI.	Desiertos	0:34
8.	VII.	Aguacibera	1:37
9.	VIII.	Noailles	1:05
10.	IX.	*Cuando, de vez en noche...*	0:31
11.	X.	Parusía	1:10
12.	XI.	Medallón	1:02
13.	XII.	Nicho	0:59
14.	XIII.	Ontogenia	0:35
15.	XIV.	De nada	0:35
16.	XV.	Autoalabanza	0:29

Eѕᴛᴇ ʟɪʙʀᴏ ʜᴀ sɪᴅᴏ ᴘᴏsɪʙʟᴇ
ᴘᴏʀ ᴇʟ ᴛʀᴀʙᴀᴊᴏ ᴅᴇ

Comité Editorial Silvia Aguilera, Mauricio Ahumada, Carlos Cociña, Mario Garcés, Luis Alberto Mansilla, Tomás Moulian, Naín Nómez, Julio Pinto, Paulo Slachevsky, Hernán Soto, José Leandro Urbina, Verónica Zondek **Asistente editorial** Verónica Sánchez **Proyectos** Ignacio Aguilera **Edición** Lilia Sánchez **Secretaría Editorial** Alejandra Césped **Prensa** Javiera Fuentes **Dirección de Arte** Txomin Arrieta **Diseño y Diagramación Editorial** Ángela Aguilera, Paula Orrego **Corrección de Pruebas** Raúl Cáceres **Exportación** Ximena Galleguillos **Página web** Leonardo Flores **Comunidad de Lectores** Olga Herrera, Francisco Miranda **Secretaría Distribución** Sylvia Morales **Ventas** Elba Blamey, Luis Fre, Marcelo Melo **Administración y Bodegas** Jaime Arel, Leonidas Osorio, Servando Maldonado, Nelson Montoya, Jorge Peyrellade **Librerías** Nora Carreño, Ernesto Córdova **Secretaría Gráfica LOM** Tatiana Ugarte **Comercial Gráfica LOM** Juan Aguilera, Marcos Sepúlveda, Aníbal Morales **Servicio al Cliente** Elizardo Aguilera, José Lizana, Edgardo Prieto **Diseño y Diagramación Computacional** Guillermo Bustamante, Claudio Mateos, Alejandro Millapan **Producción** Eugenio Cerda **Impresión Digital** Carlos Aguilera, Efraín Maturana, William Tobar **Control de Calidad** Ingrid Rivas **Preprensa Digital** María Francisca Huentén, Daniel Véjar **Impresión Offset** Eduardo Cartagena, Freddy Pérez, Rodrigo Véliz, Francisco Villaseca **Corte** Eugenio Espíndola, Sandro Robles, **Encuadernación** Alexis Ibaceta, Rodrigo Carrasco, Sergio Fuentes, Aníbal Garay, Pedro González, Carlos Muñoz, Luis Muñoz, Marcelo Toledo **Despachos** Miguel Altamirano, Pedro Morales **Administración** Mirtha Ávila, Alejandra Bustos, Diego Chonchol, Aracelly González.

Lᴏᴍ Eᴅɪᴄɪᴏɴᴇs